Ce qu'ils ont dit de la méthode Annis

Je vous remercie, Barbara, pour les deux journées très fructueuses d'accompagnement de gestionnaires. J'ai beaucoup appris sur l'égalité des sexes, sujet chaud qui peut s'avérer très frustrant. Je me servirai de ces connaissances de toutes les manières possibles.

Général Ernest Beno, Département de la Défense nationale (États-Unis)

Il y a deux ans que j'occupe le poste de sous-ministre, et c'était la première fois où nous avions vraiment des échanges francs et honnêtes. C'est une expérience qui m'a marqué. Merci !

Morris Rosenberg, sous-ministre, Département de la Justice (États-Unis)

Personnage hors du commun, Barbara Annis œuvre sans relâche comme praticienne dans les domaines de la sensibilisation aux spécificités sexuelles, de l'accompagnement de gestionnaires et de la transformation personnelle. Depuis plus de 20 ans, elle a été un agent efficace de changement dans le milieu des affaires. Grâce à plus de 2 000 séminaires-ateliers donnés durant cette période, elle a provoqué des changements positifs chez plus de 50 000 cadres et membres des professions libérales... Elle dispense l'énergie dont nous avons besoin pour formuler et réaliser des scénarios d'avenir, qui ne se manifestaient jusque-là qu'en visions floues. Son approche est de responsabiliser des groupes d'hommes et de femmes pour qu'ils collaborent dans des partenariats de transformation visant les différences entre les sexes, afin que celles-ci deviennent des avantages plutôt que des inconvénients.

O. Woodward Buckner, chef de la direction, Buckner & Co.

On parle la même langue mais on ne se comprend pas rationalise les différences neurologiques existant entre les sexes. C'est un livre qui favorise de nouveaux types d'échanges entre les hommes et les femmes. Et surtout, il tisse une nouvelle forme de collaboration. Depuis l'ère préhistorique, les hommes et les femmes ont travaillé ensemble pour tenter d'atteindre des objectifs irréalistes en des laps de temps déraisonnables. Ils viennent à peine de commencer à utiliser les ressources de leur synergie. Cet ouvrage représente une contribution riche et originale à cette nouvelle approche.

Howard Bloom, auteur de Principe de Lucifer – Cerveau global

De nouveaux horizons se profilent devant nous, annoncés par les aventures de Barbara Annis aux premières lignes de la gestion souvent tumultueuse de la diversité, des relations et de la sensibilisation aux spécificités sexuelles. *On parle la même langue mais on ne se comprend pas* est le résultat d'expériences interac-

Les Éditions Transcontinental
1100, boul. René-Lévesque Ouest, 24e étage
Montréal (Québec) H3B 4X9
Tél. : (514) 340-3587
1 866 800-2500
Pour connaître nos autres titres, tapez **www.livres.transcontinental.ca.** Vous voulez bénéficier de nos tarifs spéciaux s'appliquant aux bibliothèques d'entreprise ou aux achats en gros ? Informez-vous au **1 866 800-2500.**

Distribution au Canada
Québec-Livres, 2185, Autoroute des Laurentides, Laval (Québec) H7S 1Z6
Tél : (450) 687-1210 ou, sans frais, 1 800 251-1210

Données de catalogage avant publication (Canada)
Annis, Barbara
On parle la même langue mais on ne se comprend pas
Traduction de *Same Words, Different Language*
Comprend des réf. bibliogr.

ISBN 2-89472-210-9

1. Relations entre hommes et femmes. 2. Qualité de la vie au travail. 3. Communication — Différences entre sexes. 4. Communication interpersonnelle. 5. Différences entre sexes (Psychologie) I. Titre.

HQ801.5614 2003 306.7 C2003-940688-1

Traduction : Jacinthe Lesage, trad. a.
Révision : Marie-Suzanne Menier
Correction : Pierre-Yves Thiran
Photographie de l'auteure en page couverture: Lynn Holden
Mise en pages et conception graphique de la couverture : Studio Andrée Robillard

La forme masculine non marquée désigne les femmes et les hommes.

Imprimé au Canada

Dépôt légal — 3e trimestre 2003
Bibliothèque nationale du Québec
Bibliothèque nationale du Canada

ISBN 2-89472-210-9

Nous reconnaissons, pour nos activités d'édition, l'aide financière du gouvernement du Canada, par l'entremise du Programme d'aide au développement de l'industrie de l'édition (PADIÉ), ainsi que celle du gouvernement du Québec (SODEC), par l'entremise du Programme d'aide aux entreprises du livre et de l'édition spécialisée.

C'est une excellente formation : ce sont les meilleures 48 heures que j'aie jamais consacrées à un cours... une véritable révélation !

Vice-président directeur, services bancaires d'investissement, Wood Gundy

Une excellente formation que tous les cadres devraient suivre. On apprend beaucoup pendant tout son déroulement. J'en ai retiré des avantages à la fois personnels et professionnels.

Vice-président directeur, General Motors

Je ne savais pas ce qui arriverait et, puisque je suis un homme, j'étais très prudent le premier jour. Quelle bonne surprise ! En fait, j'ai vraiment apprécié chaque minute de cette formation et j'ai appris plus que dans n'importe quel autre cours. Ce fut une expérience marquante pour tous les participants.

Sous-ministre, Département du Trésor (États-Unis)

Merci beaucoup ! J'ai beaucoup apprécié cette formation. Je n'ai jamais cessé de suivre des cours, et je n'hésite pas à affirmer que c'est le meilleur auquel j'ai assisté.

Jim Beqaj, vice-président directeur, Nesbitt Burns

Je veux poser une question vitale au sujet de ce cours : pourquoi n'existait-il pas il y a 20 ans ? Il m'aurait été d'une aide précieuse pour régler des problèmes personnels et d'affaires, et aurait peut-être même contribué à sauver un mariage (le mien).

Associé, Deloitte & Touche

Personne ne peut vous enseigner aussi bien que Barbara Annis comment créer un milieu inclusif à haut rendement. Sa perspective très originale sur la façon de vaincre les obstacles bien ancrés qui érigent des murs invisibles dans les organisations découle de ses années de recherche intensive et d'expériences sur le terrain. Ses opinions perspicaces sur la manière la plus efficace pour les hommes et les femmes de travailler ensemble vous guideront pour élaborer un contexte de leadership où toutes les différences peuvent devenir des forces opérant en synergie.

Hubert Saint-Onge, chef de la direction et auteur de Levering Communities of Practice for Strategic Advance

Dans *On parle la même langue mais on ne se comprend pas,* Barbara Annis propose une discussion absolument cruciale pour le monde des affaires actuel. Il faut d'abord comprendre nos différences pour être ensuite à même de créer de véritables milieux de travail intégrateurs.

Dawna Markova, auteure de Open Mind & Learning Unlimited

Voici l'aspect le plus exceptionnel de la méthode de Barbara Annis : l'apprentissage est stimulé par des réflexions, et les acquis qui en découlent s'expriment de façon naturelle dans la vie quotidienne.

James Ward, chef de la direction, Gryphis Financial Consultants

C'est l'un des quelques livres sur les affaires qui m'a assez intéressé pour que je le lise d'un trait. Les idées et les anecdotes présentées jettent un éclairage révélateur. Barbara Annis est une des rares personnes capables d'intégrer au quotidien des théories complexes.

David Creelman, auteur de Conversation Against Measurement

Les réflexions de Barbara sont très fouillées. Le plus excitant pour moi a été de découvrir la façon dont nos cerveaux sont structurés. Ceci a changé ma vie.

Janet Smith, Ph.D., sous-ministre à la retraite

Barbara Annis m'a fait découvrir une approche beaucoup plus valable des vraies questions touchant les personnes et les groupes qui se sentent exclus dans les entreprises. Sa démarche améliore la qualité de vie des employés, tout en augmentant le rendement des entreprises. Le soutien donné à une main-d'œuvre diverse profite à tous !

Debbie McGrath, chef de la direction, HR.com

ON PARLE LA MÊME LANGUE MAIS

ON NE SE COMPREND PAS

Les Éditions Transcontinental
1100, boul. René-Lévesque Ouest, 24e étage
Montréal (Québec) H3B 4X9
Tél. : (514) 340-3587
1 866 800-2500
Pour connaître nos autres titres, tapez **www.livres.transcontinental.ca.** Vous voulez bénéficier de nos tarifs spéciaux s'appliquant aux bibliothèques d'entreprise ou aux achats en gros ? Informez-vous au **1 866 800-2500.**

Distribution au Canada
Québec-Livres, 2185, Autoroute des Laurentides, Laval (Québec) H7S 1Z6
Tél : (450) 687-1210 ou, sans frais, 1 800 251-1210

Données de catalogage avant publication (Canada)
Annis, Barbara
On parle la même langue mais on ne se comprend pas
Traduction de *Same Words, Different Language*
Comprend des réf. bibliogr.

ISBN 2-89472-210-9

1. Relations entre hommes et femmes. 2. Qualité de la vie au travail. 3. Communication — Différences entre sexes. 4. Communication interpersonnelle. 5. Différences entre sexes (Psychologie) I. Titre.

HQ801.5614 2003 306.7 C2003-940688-1

Traduction : Jacinthe Lesage, trad. a.
Révision : Marie-Suzanne Menier
Correction : Pierre-Yves Thiran
Mise en pages et conception graphique de la couverture : Studio Andrée Robillard

La forme masculine non marquée désigne les femmes et les hommes.

Imprimé au Canada

Dépôt légal — 3e trimestre 2003
Bibliothèque nationale du Québec
Bibliothèque nationale du Canada

ISBN 2-89472-210-9

Nous reconnaissons, pour nos activités d'édition, l'aide financière du gouvernement du Canada, par l'entremise du Programme d'aide au développement de l'industrie de l'édition (PADIÉ), ainsi que celle du gouvernement du Québec (SODEC), par l'entremise du Programme d'aide aux entreprises du livre et de l'édition spécialisée.

Barbara Annis

ON PARLE LA MÊME LANGUE MAIS **ON NE SE COMPREND PAS**

Traduit de l'anglais par Jacinthe Lesage, trad. a.

Je dédie mon livre à tous ceux qui ont pris l'engagement d'améliorer de façon significative leurs relations avec les autres; à mes merveilleux enfants, Lauren, Sasha, Stéphane et Christian; ainsi qu'à mon compagnon de vie, Paul, un être aimant et intègre que j'admire et apprécie grandement.

Remerciements

Je remercie Julie Barlow, qui a coécrit ce livre, pour son dur labeur.

Je remercie aussi les milliers d'hommes et de femmes qui ont participé à mes ateliers et se sont efforcés de mettre à profit, au quotidien, leurs découvertes sur le sexe opposé.

Ma reconnaissance va également aux amis, collègues et clients qui m'ont aidée, chacun dans sa sphère d'activité : Shahla Aly, Donna Marie Antoniadis, Sharon Bartlett, Général Ernest Beno, Chantal Bernier, Josée Bouchard, Linda Bowles, Woody Buckner, Barbara Burns, Charlie Coffey, Tony Comper, David Creelman, Paul Currie, Judy Dahm, Leslie Danis, Susan Delacourt, Bill Etherington, Michael Hagerman, feu Dr Willis Harman, John Hunkin, Dre Susan Hutton, Benedikte Jacobs, Dr Saj-nicole Joni, Kevin Keliher, Pat Kennedy, Général Kinsman, Anna Kirk, Mary Ellen Koroscil, Uno Langmann, Rob Largen, Maria LeRose, Dre Dawna Markova, Debbie McGrath, Marguerite McLeod, Stephanie McKendrick, Ken Nason, Jill Nyren, Morris Rosenberg, Cynthia Rudge, Hubert Saint-Onge, Vicky Saunders, Victoria Slager, Dre Janet Smith, Gina Sparrow, Carol Stephenson, Susan Tanner, Jim Ward, Dre Sandra Witelson et Sabrina Yamamoto.

Table des matières

Introduction

Qui que vous soyez, je suis certaine que vous allez reconnaître la femme de cette histoire. Les hommes la surnomment parfois la « femme dragon » ou la « dame de fer ». Les femmes la considèrent comme « un homme portant des vêtements de femme ». Il est difficile de travailler avec elle.

J'étais cette femme. C'était au début des années 80. Je travaillais pour la multinationale Sony, où je me préparais à devenir la première femme à occuper le poste de directeur commercial. Le parcours avait été difficile, mais j'avais réussi à atteindre ce sommet tout en élevant trois enfants. Je sentais que j'avais remporté une victoire importante pour les femmes. J'étais certaine que mon histoire pourrait inspirer d'autres travailleuses.

Je croyais aussi connaître la formule du succès : me conduire comme un homme. La vie chez Sony était trépidante et difficile, la compétition était forte. Pour surmonter tous les obstacles, j'ai assisté à une centaine de séances de formation sur des sujets allant de l'affirmation de soi aux « tactiques de guerre pour femmes ». Les séances ressemblaient à des camps d'entraînement militaire, mais je continuais à y participer. Pourquoi ? Parce qu'elles fonctionnaient. J'ai gagné plus de prix pour rendement exceptionnel que n'importe lequel de mes collègues. Mais je suis devenue une chef de service tellement stricte que certains de mes collaborateurs m'ont surnommée « le char d'assaut ».

Comme la majorité des femmes qui travaillaient à l'époque, je croyais que, pour être les égales des hommes, les femmes devaient leur ressembler. En réalité, dans les années 70 et 80, nombre de féministes croyaient que les femmes devaient être non seulement semblables aux hommes, mais *meilleures* qu'eux: elles devaient étudier davantage, travailler plus fort et mieux faire que leurs homologues masculins pour réussir. Au fond, tout le monde croyait que le seul modèle de réussite possible était masculin. Personne ne pensait aux différences entre les sexes. Comme tout le monde, je croyais qu'être une femme signifiait être inférieure ou moins bonne. J'y ai cru. J'avais une double personnalité: j'étais un homme au bureau et une femme dans mes relations personnelles et avec mes clients.

J'étais même tellement convaincue qu'il fallait ressembler aux hommes pour être leur égale que j'ai décidé d'aider d'autres femmes à agir davantage comme des hommes. Après tout, c'était la voie de la réussite.

Lorsque je regardais autour de moi, je voyais nombre de femmes se battre pour percer dans le monde des affaires; pourtant peu d'entre elles étaient chefs d'entreprise ou membres de conseils d'administration. J'étais certaine que c'était parce qu'elles ne fournissaient pas assez d'efforts. Je me disais que les femmes manquaient de confiance en elles et qu'elles prenaient les choses trop à cœur ou qu'elles ne réussissaient pas à se faire entendre. Je disais aux femmes de se prendre en main et d'arrêter de tout dramatiser. Après tout, c'était ce que les hommes leur conseillaient, et j'y croyais. Je disais aux femmes qu'elles devaient devenir fortes, autoritaires et sûres d'elles, et qu'elles devaient faire fi de leurs émotions et parler comme un patron. Cela avait fonctionné pour moi.

J'ai adhéré à ces idées durant plusieurs années. En fait jusqu'à ce que j'anime un atelier auquel assistaient des travailleuses de la compagnie pharmaceutique SmithKline Beecham. En y repensant, je me rends compte que cet atelier a complètement changé ma vision des choses et m'a menée à ma carrière actuelle.

L'atelier avait débuté comme d'habitude: j'expliquais aux participantes qu'il était important pour elles de prendre leur vie en main. Lorsque je suis arrivée aux moyens à préconiser pour mériter le respect du patron, l'une d'elles m'a interrompue.

«Pourquoi dites-vous que c'est aux femmes de changer? m'a-t-elle demandé. Pourquoi n'est-ce pas aux hommes d'évoluer?»

Dans mon esprit, être différente signifiait être moins bonne. Il existait une hiérarchie, et les femmes n'occupaient pas le même rang que les hommes. J'ai donc donné à cette femme la réponse suivante: «Si vous avez décidé d'assister à cet atelier, c'est que vous avez un problème.»

Elle n'était pas d'accord. «Ce n'est pas parce que nous croyons avoir des problèmes que nous sommes ici. C'est le milieu de travail qui est dévalorisant, c'est tout.»

Je m'en suis tenue à mon discours habituel. «Si vous vous sentez dévalorisées, c'est que vous ne vous y prenez peut-être pas de la bonne façon pour vous faire accepter.»

Mon interlocutrice n'a pas gobé cette réponse, pas plus que ses collègues. Exaspérée par leurs protestations, j'ai mis fin à la séance.

Je suis retournée chez moi et me suis mise à réfléchir. C'est alors que j'ai commencé à m'apercevoir que je m'étais trompée du tout au tout. J'ai compris qu'il ne servait à rien d'essayer de faire agir les femmes comme si elles étaient des hommes. Les femmes sont différentes des hommes!

À l'époque, je donnais aussi des ateliers aux hommes sur la façon d'agir avec les femmes. Les participants se comportaient bien différemment des femmes dans les ateliers. Ils ne signifiaient pas leur accord par un signe de tête lorsque je parlais, comme le faisaient les femmes. Ils ne collaboraient pas et ne participaient pas aux séances de remue-méninges de la même façon. Ils ne dressaient pas de listes et ne discutaient pas de la même manière. En pensant à mon environnement chez Sony, je me suis dit que les femmes et les hommes travaillaient différemment là aussi. J'avais toujours mis ces particularités sur le compte de la personnalité individuelle, mais j'ai commencé à me demander s'il n'y avait pas autre chose.

J´ai alors décidé d'étudier les observations faites par les scientifiques et les chercheurs sur les différences entre les sexes; ces observations étaient fort nombreuses. Vers le milieu des années 80, on avait déjà établi qu'il existait de véritables différences entre les hommes et les femmes: ils pensent différemment, traitent l'information différemment, communiquent différemment. Tenter de transformer les femmes en hommes était une erreur grossière.

Constater la différence

Depuis ce fatidique atelier présenté aux employées de la compagnie pharmaceutique, j'ai consacré ma vie à expliquer aux hommes et aux femmes les différences qu'il y a entre eux et à les aider à surmonter les difficultés qu'elles engendrent. Au cours des 20 dernières années, mes collaborateurs et moi avons écouté plus de 50 000 personnes un peu partout dans le monde raconter les difficultés qu'elles doivent surmonter en travaillant avec des personnes du sexe opposé. J'ai écouté des chefs de service, des médecins, des infirmiers, des avocats, des banquiers, des soldats, des secrétaires, des courtiers en valeurs mobilières, des scientifiques, des politiciens; j'ai écouté, en fait, des membres de presque tous les secteurs possibles. J'ai travaillé avec de nombreuses entreprises européennes et américaines, dont IBM, Xerox, General Motors, Le Body Shop, Honeywell, Deloitte & Touche, ainsi qu'avec plusieurs grandes compagnies d'assurance, banques et organismes publics.

À maintes reprises, j'ai pu constater concrètement que les hommes et les femmes pensent et communiquent différemment. J'ai aussi eu l'occasion de remarquer que ces différences provoquent des malentendus qui engendrent d'autres malentendus et laissent tout le monde en colère et frustré.

Que vous soyez un homme ou une femme, vous reconnaîtrez plusieurs des situations présentées dans les pages suivantes et vous vous identifierez sans doute à certains des protagonistes: des personnes qui se sentent dévalorisées ou exclues au travail, des travailleurs qui croient qu'ils n'ont aucun moyen d'améliorer leur milieu de travail, des employés qui baissent les bras et poursuivent mécaniquement leurs activités, des gens talentueux qui quittent l'entreprise parce qu'ils ne peuvent compter sur aucun soutien…

En lisant cet ouvrage, vous verrez ce qui se passe. Vous verrez comment votre propre comportement favorise les malentendus et comment les différences entre les sexes engendrent des situations dans lesquelles des travailleurs de talent se sentent aliénés sans savoir pourquoi. Pourquoi cela se produit-il? Parce que les hommes et les femmes voient la réalité différemment, entendent des histoires différentes, assimilent l'information différemment et communiquent différemment. Nous utilisons les mêmes mots mais avons des langages différents.

Dans ce livre, vous apprendrez à dissiper les malentendus attribuables aux différences entre les sexes. Vous apprendrez à vous mettre à la place de l'autre, à l'écouter, à éviter les méprises les plus courantes et à mieux communiquer votre message.

Je n'ai pas écrit cet ouvrage dans le but de prouver que les hommes et les femmes ne sortent pas du même moule. Cela, on le sait depuis longtemps, et on sait aussi que leurs différences causent bien des méprises. Au début des années 90, John Gray a publié son fameux ouvrage *Les hommes viennent de Mars, les femmes viennent de Vénus*. En 1991, la linguiste Deborah Tannen a aussi écrit le livre *You Just Don't Understand*, traitant du fait que les hommes et les femmes ne communiquent pas de la même façon. Mon objectif est de vous faire franchir une étape de plus.

Je veux vous offrir les «yeux qui vous aideront à voir» les différences entre les sexes et vous apprendre à résoudre les difficultés qui découlent de ces différences. Dans ces pages, vous découvrirez ce que les scientifiques ont observé à ce sujet dans leurs toutes dernières recherches. Vous entendrez des hommes et des femmes s'exprimer sur les difficultés qui surviennent lorsqu'ils travaillent ensemble. Vous apprendrez aussi comment tirer le meilleur parti possible de vos forces et de celles du sexe opposé.

De nombreuses raisons vous ont incité à lire ce livre. Peut-être soupçonnez-vous déjà que certains des problèmes qui surviennent dans votre milieu de travail sont dus aux différences entre les sexes. Peut-être êtes-vous chef d'entreprise et essayez-vous de comprendre pourquoi le roulement de votre personnel est aussi important. Ou, peut-être, êtes-vous simplement malheureux au travail. Peu importe la raison, je vous garantis que ce livre vous aidera à améliorer vos relations de travail avec les personnes du sexe opposé. Vous y découvrirez certains outils et apprendrez à mieux vous connaître et à:

- reconnaître l'impact de vos propos et de vos gestes sur les autres;
- mieux écouter les personnes du sexe opposé pour entendre vraiment ce qu'elles disent;

- proposer des arguments convaincants aux personnes du sexe opposé dans des termes qu'elles comprendront;
- vendre plus efficacement aux femmes (les femmes décident de 80% des dépenses de consommation);
- conseiller et guider plus efficacement les personnes du sexe opposé;
- obtenir de meilleurs résultats dans les équipes mixtes tout en ayant plus de plaisir à travailler ensemble;
- gagner le respect et la confiance de vos collègues tout en améliorant vos relations avec eux;
- mieux aimer votre travail!

Avant tout, quelques mises en garde. Ce livre n'est pas destiné aux femmes. Les différences entre les sexes engendrent des difficultés pour tout le monde. Des difficultés qui ne sont pas toujours reliées au travail. Ce livre s'adresse à tous ceux qui sont intéressés à améliorer leurs relations avec les personnes du sexe opposé, que ce soit pour rédiger un rapport annuel ou pour élever une famille. La plupart des scénarios présentés proviennent du monde du travail, mais les leçons qu'on peut en tirer s'appliquent également ailleurs.

À la fin du voyage que représente la lecture de ce livre, vous constaterez que, même si les hommes et les femmes sont loin d'être des copies conformes, il y a plus de points qui les unissent que d'éléments qui les séparent. Tous souhaitent que le travail leur apporte le sentiment de faire leur part et la possibilité d'apprendre et de se perfectionner.

Au fil de votre lecture, vous découvrirez sans doute que vous avez plus de préjugés et d'idées préconçues que vous ne le pensiez. Soyez prêt à y faire face en toute honnêteté. Vous aurez les «yeux qui vous aideront à voir» lorsque vous vous comprendrez vous-même. Pour y parvenir, vous ferez un voyage agité. Mais il transformera votre vie, vous verrez.

Barbara Annis, août 2002

1

Comme deux poissons dans l´eau…

Le poisson a besoin d'eau et l'oiseau a besoin d'air; ils ne peuvent voir aucun de ces milieux, mais ils peuvent ressentir les forces turbulentes du changement.

Stephen Covey, *The 7 Habits of Highly Effective People* (traduction libre)

La première fois que je leur ai parlé, ils m'ont dit faire partie d'un cabinet qui faisait baver d'envie les jeunes avocats. D'après ce que d'autres m'avaient confié, je soupçonnais plutôt que les employés y travaillaient comme des forcenés. Au cours de la dernière année, sept de leurs principaux avocats, des femmes, étaient partis. Toutes avaient prétexté des «raisons familiales» ou le «désir de rétablir l'équilibre entre vie familiale et vie professionnelle». Je savais bien qu'il y avait autre chose.

Il s'agissait d'un cabinet impressionnant. Les bureaux étaient vastes, luxueux, et les avocats comptaient sur leur liste de clients des sociétés faisant partie des 100 plus grandes entreprises de la Bourse de Londres. Il était vrai que tous les jeunes avocats rêvaient d'y travailler. Les associés allaient chercher les plus talentueux, quel qu'en soit le prix. Naturellement, ils n'avaient aucun mal à recruter la crème des diplômés. Mais tout ne fonctionnait pas sur des roulettes pour autant. Plusieurs de leurs avocates principales venaient de démissionner, tout comme de jeunes avocates et avocats talentueux. Un des clients de la firme — et non pas les associés eux-mêmes — a remarqué que cette tendance touchait presque uniquement des femmes. Ce client, qui travaillait pour la même banque que moi, a remis mon numéro de téléphone aux dirigeants du cabinet en disant: «Vous avez besoin d'aide.»

Dès que j'ai commencé à rencontrer des associés et des employés de ce bureau, j'ai compris le problème. Les hommes, comme les femmes, se plaignaient de leur milieu de travail. Un jeune associé m'a même dit que les associés principaux faisaient souvent des commentaires désobligeants sur les femmes. Plusieurs ont parlé des sept avocates qui étaient parties l'année précédente. «Oh oui, il y avait cette jeune femme aux longues jambes qui travaillait ici», a mentionné l'un des associés principaux, évoquant ce qui semblait être l'une des qualités les plus dignes de mention de la jeune femme; il affirmait qu'elle avait quitté son poste pour des raisons familiales. Un jeune avocat m'a parlé d'un souper où les associés principaux échangeaient des blagues sexistes pendant que les femmes présentes faisaient semblant de ne pas les entendre ou s'efforçaient de garder leur bonne humeur. Ces exemples m'ont donné une bonne idée des problèmes auxquels ils faisaient face.

J'ai alors décidé de rencontrer Sandra, la jeune femme aux longues jambes. En fait, elle n'avait pas démissionné pour des raisons familiales. Elle avait même ouvert son propre cabinet peu après son départ. Chef de famille monoparentale, mère d'une fillette de 10 ans, Sandra m'a fait entrer dans son fort élégant nouveau bureau. Formée dans une des meilleures écoles de droit, elle avait le style et l'assurance nécessaires pour réussir dans ce domaine. Son cabinet accueillait nombre de clients, et professionnellement, me dit-elle, elle était bien plus heureuse maintenant.

Peu à peu, Sandra a fini par me faire connaître les véritables raisons de son départ. Elle savait que les choses allaient être difficiles lorsqu'elle avait commencé à travailler pour ce cabinet. Malgré tout, elle avait tenu le coup durant 12 ans. «J'étais tout à fait loyale envers mon employeur, et mon travail me tenait à cœur. Mais les choses ont fini par devenir insoutenables. Je ne pouvais plus endurer l'atmosphère qui y régnait. À la fin, je devais me traîner au bureau», dit-elle. Que s'était-il donc passé?

Selon Sandra, quels que soient les efforts qu'elle fournissait et les heures qu'elle consacrait à son travail, elle sentait qu'on ne la considérait jamais comme faisant partie de la bande. Aux réunions, les associés discutaient du travail comme si elle n'était pas là. «Je ne me sentais pas valorisée, ajouta Sandra. J'ai fini par admettre que les choses ne changeraient jamais.»

C'était vraiment dommage parce que Sandra aimait travailler avec ses clients et que les relations qu'elle entretenait avec eux étaient stimulantes. C'est d'ailleurs pour cette raison qu'elle est restée aussi longtemps, m'a-t-elle confié. Mais, à un certain moment, elle s'est rendu compte qu'elle évoluait dans deux mondes: ses clients la traitaient comme une professionnelle, et ses collaborateurs continuaient d'agir avec elle comme si elle était une subalterne. Sandra sentait qu'on n'appréciait ni ne reconnaissait ses talents et qu'on ne lui donnait pas les responsabilités qu'elle méritait. Elle a alors décidé de partir.

Pour éviter d'avoir à donner des explications, Sandra a simplement mentionné à ses collègues qu'elle avait besoin de passer plus de temps avec sa fille. Ils ont été surpris de cette décision et tristes de la voir partir, mais ils l'ont crue. Tout le monde en est resté là.

Une affaire de femmes?

Je me doutais bien que l'histoire de Sandra n'était pas unique. Je me suis organisée pour rencontrer les six autres femmes qui avaient quitté leur emploi l'année précédente. Leurs explications étaient identiques à celles de Sandra. Elles disaient qu'elles n'étaient pas traitées de la même façon que leurs collègues masculins, peu importe les efforts qu'elles déployaient. Elles avaient l'impression que le fait d'être femme les singularisait et qu'elles n´étaient pas sur un pied d´égalité avec leurs collègues masculins. Elles avaient l'impression qu'on leur faisait moins confiance, sans trop savoir pourquoi. Chaque fois qu'elles posaient une question, leurs confrères croyaient qu'elles mettaient leurs compétences en doute; il ne leur venait même pas à l'esprit qu'elles cherchaient simplement à se renseigner.

Une des femmes s'était plainte à ses collaborateurs du fait qu'on ne lui confiait jamais de mandats médiatisés: «Nous travaillons d'arrache-pied à ces dossiers, mais nous ne sommes jamais sous les feux de la rampe.» Les femmes avaient même l'impression d'être moins respectées que leurs jeunes collègues masculins. Elles affirmaient que le personnel de soutien en faisait davantage pour les hommes que pour elles. Je leur ai demandé comment réagissaient leurs collègues lorsqu'elles tentaient de discuter de ces questions. «Ils trouvaient que nous exagérions ou que nous individualisions trop le problème. Ils disaient que nous étions trop critiques ou que nous faisions une montagne d'un rien.»

En fin de compte, tout comme Sandra, ces femmes se sentaient à la fois surchargées de travail et pas suffisamment valorisées par leurs collègues. Leur salaire était moindre que celui des hommes et elles considéraient qu'on les respectait moins qu'eux. Toutes souffraient du sentiment d'isolement. Elles n'étaient pas intégrées au réseau masculin et il n'y avait pas de réseau féminin. Elles avaient l'impression d'être abandonnées à leur sort et de devoir régler leurs problèmes seules sans possibilité d'en parler à qui que ce soit.

Par conséquent, comme Sandra, ces femmes ont décidé de partir. Comme elles n'étaient pas certaines qu'on comprendrait les véritables raisons de leur départ, elles ont chacune fourni l'excuse la plus facile et la plus légitime à laquelle elles pouvaient penser. Certaines ont dit qu'elles cherchaient «l'équilibre entre leur vie personnelle et professionnelle». Les autres ont prétendu qu'elles avaient besoin de plus de «flexibilité», un terme qui, pour leurs collègues avocats, avait à peu près le même sens.

Les associés ont cru aux excuses de ces femmes. Tout le monde a pensé qu'elles étaient sincères. Après tout, quitter son emploi pour s'occuper davantage de sa famille n'est pas si rare. Comme certains associés me l'ont dit eux-mêmes: «C'est compréhensible pour une femme.» Aucun des associés n'a fait le lien entre l'atmosphère qu'ils m'avaient décrite et le départ de ces femmes. Sept avocates principales sont parties en une seule année et personne n´a compris!

Les lumières s'allument

Évidemment, il y avait un lien à faire. Après avoir interrogé presque tous les employés du cabinet, individuellement ou en groupes de discussion, mon collègue Andrew et moi avons découvert que nombre d'entre eux étaient d'avis qu'un comportement paternaliste dominait dans l'entreprise. La plupart des femmes avaient émis cette opinion, mais il était surprenant de constater que bien des hommes pensaient la même chose. Nombre d'avocats se sont plaints de l'atmosphère machiste qui régnait alors, de l'élitisme dont faisaient preuve les associés principaux et du statut de «vedette» que l'on réservait à certains avocats. Les luttes intestines leur déplaisaient, tout comme les réunions interminables auxquelles certains étaient conviés mais pas d'autres. Beaucoup d'hommes ont avoué que ces façons de faire les mettaient mal à l'aise, mais qu'ils craignaient de faire connaître leurs griefs aux associés principaux. Ils se sentaient obligés d'entrer dans le moule.

Inutile de dire que les associés étaient mécontents en entendant les conclusions auxquelles mon partenaire et moi étions arrivés. Déformation professionnelle oblige, ils réfutaient la moindre plainte que je leur présentais. Après avoir demandé des exemples de comportements paternalistes, ils les ont rejetés les uns après les autres. Ils ont dit des choses comme: « Oh, ce doit être Unetelle qui a dit cela. Elle avait une dent contre moi.» J'ai rapporté qu'une femme était exaspérée par le comportement d'un collègue qui lui tapotait la tête en lui disant que sa « petite tête » ne pouvait pas tout comprendre. « Je sais de qui il s'agit, a rétorqué l'un des associés. Elle est complexée parce qu'elle est petite. Ça n'a rien à voir avec les différences entre les sexes.»

Leur réaction aux plaintes présentées? Éliminer la messagère! S'il n'en avait tenu qu'à eux, ils auraient passé la journée à disséquer chaque point pour le réfuter. À certains moments, j'avais le goût de les abandonner à leurs chamailleries, mais j'ai persévéré en essayant de les guider jusqu'à ce qu'ils se rendent compte de ce qui se passait.

Soudain, après plusieurs heures de discussion, le ton a changé. Une des femmes du groupe a décidé de dire ce qu'elle pensait. Elle était la principale avocate plaidante du cabinet. Elle avait jusqu'alors gardé le silence. Elle a regardé les associés principaux et leur a dit: « Vous ne vous en rendez peut-être pas compte, mais vous agissez avec moi comme si j'étais votre fille.» Elle a ajouté qu'elle trouvait leur comportement humiliant.

Soudain, les gens ont commencé à comprendre. On aurait dit que les vannes avaient été ouvertes. « Vous trouvez vraiment que je me comporte ainsi ?» a lancé un des hommes présents. Lorsque les associés ont commencé à se rendre compte de l'effet de leur attitude sur les femmes, tous les sujets abordés ont pris un nouveau sens. Jusque-là, personne n'avait fait le lien entre le départ des sept femmes et les plaintes que les autres formulaient au sujet de l'environnement de travail. Les associés avaient considéré les diverses situations comme des incidents « isolés ». Puis tous ont saisi que le départ de ces femmes était lié à un énorme problème: il régnait une atmosphère de travail destructrice.

L'atmosphère ne tuait pas les employés, mais elle allait finir par avoir raison du cabinet.

Les associés ont fini par comprendre à quel point cette ambiance négative leur était néfaste. Chacun savait que lorsqu'une avocate partait, des clients importants la suivaient, et que cette perte entraînait une diminution de plusieurs millions de dollars du chiffre d'affaires. Le calcul du coût total du départ des sept avocates a vraiment produit son effet.

«Je reconnais qu'on a un problème», a finalement admis un des associés.

«C'est le moins qu'on puisse dire», a ajouté un autre.

Il pourrait être tentant – et satisfaisant – de faire de cette histoire celle d'une vingtaine d'avocats en colère tirant une leçon du prix élevé qu'ils ont eu à payer pour avoir eu, à l'égard des femmes, un comportement inopportun. Des hommes ont prononcé des paroles et accompli des gestes offensants pour les femmes. Les femmes ont fini par jeter la serviette et sont parties en entraînant avec elles plusieurs clients, ce qui a fait perdre au cabinet des millions de dollars en chiffre d'affaires. Andrew et moi avons montré à ces hommes comment ils avaient provoqué le départ de ces femmes, et ils ont décidé de modifier leur façon de se comporter. Même la fin est heureuse.

Cette histoire pourrait plaire aux scénaristes de Hollywood mais, en réalité, les choses ne s'arrêtent pas là. La solution au problème de ce cabinet, et à ceux de la plupart des entreprises, ne consiste pas à trouver un méchant et à décider qui a tort ou raison. Elle ne consiste pas non plus à «donner une leçon» aux hommes. Elle consiste à modifier un environnement qui ne convient à personne. Les cabinets d'avocats, les banques et les grandes firmes comptables internationales ne sont pas les seules entreprises dont le climat de travail destructeur frustre les employés et les aliène. Ce type d'environnement existe dans toutes sortes d'organisations et de champs d'activité: les ventes, les entreprises manufacturières, les commerces de détail, la fonction publique, le génie, les universités, le design architectural.

La bonne nouvelle? Chacun de nous peut contribuer à changer son environnement, peu importe où il travaille.

La situation de ce cabinet d'avocats, et de toutes les entreprises qui m'engagent, est le résultat de malentendus. Ces malentendus surviennent parce que les hommes et les femmes sont fondamentalement différents: dans leur façon de penser, de communiquer, d'assimiler l'information, etc. S'ils ne comprennent pas ces différences, ils projettent leurs réactions sur les personnes du sexe opposé et les jugent sans comprendre le véritable sens du message envoyé ou du comportement adopté. Les hommes et les femmes sont responsables, les uns autant que les autres, de ces malentendus.

Toutefois, les hommes et les femmes peuvent modifier leurs façons de faire. Ils doivent simplement apprendre à connaître l'environnement où ils passent la majeure partie de leur vie professionnelle et en faire un lieu stimulant où il est agréable de travailler.

L'aquarium

Si vous ne devez tirer qu'une leçon de ce livre, que ce soit la suivante: les hommes et les femmes sont deux espèces différentes de poissons. Vous vous demandez sans doute où je veux en venir avec cette idée. Elle vous permettra de comprendre bien plus de choses que vous ne le croyez!

Comparons le milieu de travail à un aquarium rempli de magnifiques poissons rouges qui ont prospéré durant des années. Un jour, vous décidez d'y ajouter des poissons bleus. Vous vous dites que si les premiers ont pu prospérer, les seconds vont y parvenir aussi. Après tout, ce sont des poissons. La seule différence est la couleur. Mais lorsque vous ajoutez les poissons bleus, plus rien ne va. Ils n'aiment pas leur environnement. Ils ne prospèrent pas. L'eau ne semble pas leur convenir et ils finissent même par rendre les poissons rouges malheureux. Une conclusion possible: pour que les deux espèces de poissons survivent, il faut changer l'eau.

Le milieu de travail en est là. La plupart des femmes et des hommes sont malheureux dans leur aquarium. Ce n'est pas leur faute. C'est l'eau dans laquelle ils nagent qui ne leur convient pas.

La plupart des bureaux qui font appel à mes services croient avoir un «problème avec les femmes». Ils doivent composer avec des accusations de harcèlement, ou bien les femmes qui y travaillent quittent leur emploi sans que les dirigeants sachent pourquoi. Certaines entreprises m'appellent parce qu'un groupe, souvent constitué de femmes, s'est formé à l'interne et a décidé d'agir pour faire changer la façon dont les femmes sont traitées.

Bon nombre des chefs d'entreprise que je rencontre savent que le problème à régler est relié au milieu de travail, et la plupart d'entre eux croient qu'il ne s'agit que de remettre les pendules à l'heure. Un chef de service du ministère du Travail de Londres m'a dit il y a quelque temps: «Observez les faits. Les politiques servent à assurer l'égalité entre les hommes et les femmes.» Un jeune banquier qui assistait à l'un de mes ateliers au Royaume-Uni m'a dit: «Notre banque est fière des progrès accomplis avec ses effectifs féminins: sur 36 femmes, 2 ont même atteint des postes de haute direction.» D'autres entreprises exhibent leurs programmes visant à favoriser la venue des femmes en gestion afin de prouver qu´elles ont pris les choses en main. Mais rien n'est plus éloigné de la vérité.

La vérité? Les femmes sont plus sensibles que les hommes à l'eau dans laquelle elles nagent. Il n'y a là rien de mystérieux. Bien que les femmes représentent la majorité des diplômés qui sortent des universités et des collèges dans les domaines des affaires, du droit, de la comptabilité, de la médecine, de la sociologie et de l'éducation, et malgré leur entrée massive dans la plupart des secteurs d'emploi et le fait qu'elles atteignent les échelons supérieurs en gestion, le monde du travail est encore surtout conçu en fonction de la vision qu'en ont les hommes. Ce n'est toutefois pas la faute des hommes. Les femmes étaient absentes du marché du travail lorsque le modèle a été créé au siècle dernier. Avec le temps, les hommes ont décidé de quelles façons devaient s'effectuer toutes les tâches d'un bureau, de la rédaction de rapports jusqu'à la façon de mener une évaluation ou de conduire une réunion de conseil. Ces règles tiennent encore, même si elles ne correspondent plus aux choix de bien des hommes.

Les 2 modèles de gestion : le traditionnel et le nouveau

Le modèle de gestion traditionnel est tellement courant que plus personne ne le remarque. Il est invisible, comme l'eau pour un poisson. Mais il a été conçu en fonction d'un modèle bien connu des hommes : le modèle sportif, fondé sur les normes militaires de commandement et de contrôle. Il ressemble à ceci :

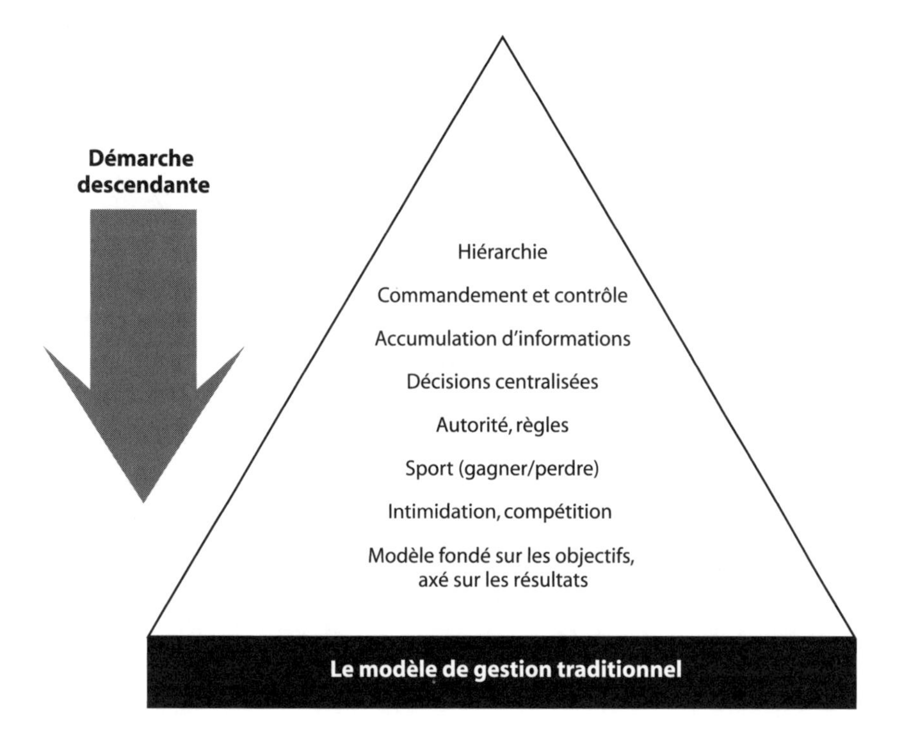

Pourquoi ce modèle ne convient-il pas aux femmes ? Tout simplement parce qu'il ne correspond pas à la façon dont elles pensent et travaillent. Si elles le pouvaient, les femmes rédigeraient un tout nouvel ensemble de règles. Les femmes recherchent naturellement la collaboration et la participation. Elles considèrent autrement ce qu'est une « équipe », la façon dont elle devrait fonctionner et les objectifs qu'elle devrait viser. La plupart du temps, les femmes cherchent à faire avancer un projet en obtenant le consensus. Mais s'agit-il d'une généralisation fondée sur les idées traditionnelles que l'on véhicule sur les femmes ? Bien des gens peuvent le penser. Pourtant, il s'agit d'une réalité, et même d'une des plus grandes forces des femmes en affaires. En fait, le modèle «naturel» des femmes ressemble énormément au nouveau style «ascendant» que nombre d'entreprises tentent actuellement d'implanter.

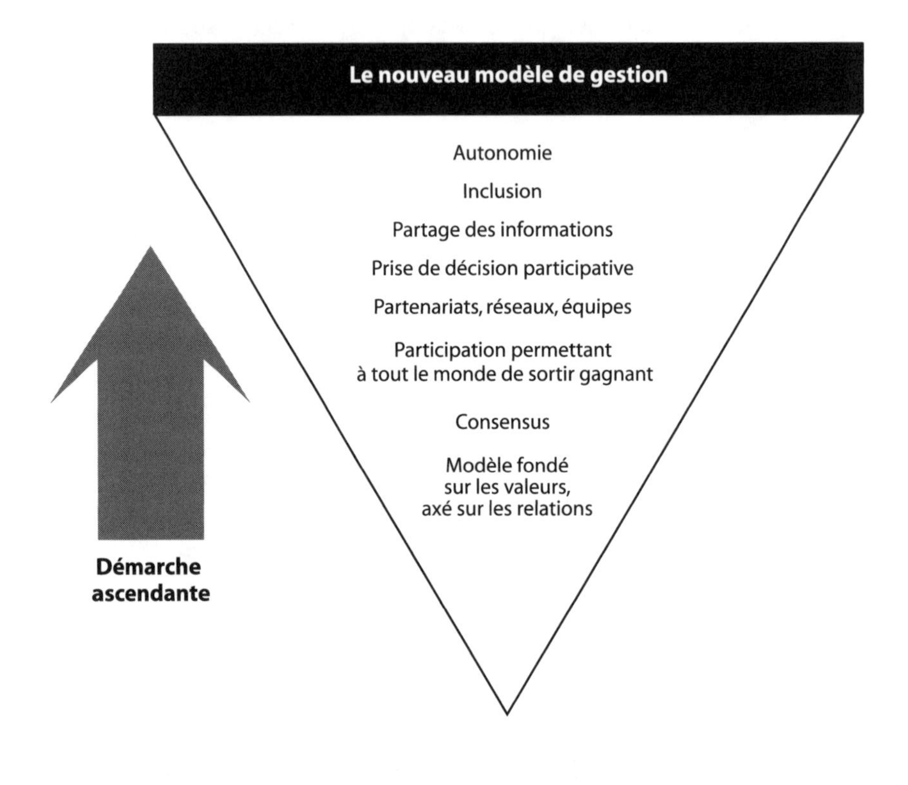

Le modèle de gestion traditionnel ne convient pas aux femmes. Et lorsque les hommes ont recours au modèle mis de l'avant dans une organisation dominée par des femmes, ils se sentent comme en territoire étranger!

Nathan, jeune cadre et seul homme à travailler dans la fameuse entreprise internationale de produits pour le corps Le Body Shop, dirigée par Anita Roddick, m'a confié que la méthode de prise de décision de l'entreprise ne lui était pas familière. L'approche du Body Shop correspond au mode de collaboration féminine, de type ascendant, mettant l'accent sur l'autonomie, la participation, la confiance entre les employés. Ce modèle de gestion ne va pas du tout de soi pour Nathan, plus habitué au modèle traditionnel, axé sur les objectifs et les moyens de les atteindre. Pourtant, Nathan fonctionne bien au Body Shop, et les ventes sont là pour le prouver. Simplement, il est dépaysé parce qu´il est habitué à une autre façon de faire.

Le milieu de travail traditionnel donne aux femmes un choc culturel continuel. C'est sans doute pour cette raison que presque la moitié de celles qui assistent à mes ateliers pensent à quitter leur emploi. « Le milieu de travail n'est pas adapté aux besoins des femmes », me disent-elles constamment.

Le choc culturel que vivent les femmes débute après leurs études universitaires, le dernier lieu où les hommes et les femmes travaillent avec un véritable esprit d'équipe avant d'entrer dans la « vraie vie ». Au travail, les hommes passent automatiquement au mode hiérarchique. C'est comme s'ils suivaient un vieux modèle de jeu de société. Dès le début, les équipes masculines ont des « chefs », des « vedettes » et une structure distincte. Les équipes n'existent que dans le but d'atteindre des cibles, de gagner. Des termes comme « partenariat » et « formation d'équipe » sont très à la mode actuellement dans le monde du travail, mais en réalité l'idée que se font les hommes du travail d'équipe suit toujours le même bon vieux modèle : un bon joueur d'équipe est celui qui obéit au chef.

Pour les femmes, l'environnement de la plupart des entreprises leur donne l'impression d'être parties en voyage sans guide dans un pays étranger. Cette situation engendre de la frustration et, tôt ou tard, cette frustration déteint sur les hommes.

Le problème de chacun

Voilà où en est le milieu du travail aujourd'hui. Il y a énormément d'employés malheureux. Une enquête menée récemment par Gallup à l'échelle internationale indique à quel point le moral est miné. On a interrogé 1,7 million de travailleurs de 101 entreprises réparties dans 63 pays. On leur a demandé s'ils « avaient l'impression de pouvoir faire de leur mieux chaque jour » dans leur travail. Seulement 20 % des personnes interviewées ont répondu « oui ». Seulement le cinquième des travailleurs d'aujourd'hui ont l'impression de pouvoir exploiter leurs forces et talents au travail. Cette enquête a aussi fait ressortir le fait que plus les employés gardent leur emploi longtemps et plus ils gravissent d'échelons dans leur carrière, moins ils ont le sentiment de pouvoir faire de leur mieux au travail. Lorsque 80 % des employés sentent qu'ils ne font pas leur part, il est évident qu'il y a un problème.

Vous vous dites sans doute : « D'accord, il y a un problème. Mais il n'existe que dans les entreprises traditionnelles ou rétrogrades. » Ce n'est pas vrai. Je vois partout des hommes et des femmes travailler ensemble et connaître les mêmes problèmes. Même les entreprises de haute technologie sont touchées.

Personne n'est heureux. On croit généralement que les femmes désirent passer plus de temps avec leur famille. En réalité, c'est le vœu de tous, hommes et femmes. Mais la majorité des femmes que je rencontre souhaitent – sans que ce vœu se soit encore réalisé – avoir le sentiment d'accomplir quelque chose de significatif et de se sentir valorisées. La plupart des hommes expriment aussi ce souhait.

Le problème qui existe dans le monde du travail n'est pas un « problème de femmes ». Des entreprises, organismes et associations de tout genre ont besoin d'apprendre comment tirer profit des forces des hommes et des femmes. C'est la seule façon d'arriver à changer l'eau de l'aquarium pour que chacun soit heureux.

Seules quelques-unes de mes entreprises clientes, peut-être 5 %, comprennent que l'enjeu n'est pas de « mieux traiter les femmes » mais de modifier l'environnement de travail pour que les femmes s'y sentent bien et que l'entreprise prospère.

Mike, un cadre supérieur de la firme Deloitte & Touche, m'a mentionné, comme bien d'autres hommes, à quel point il tenait à avoir et à garder des femmes parmi ses employés : « Je sais que l'environnement de travail ne convient pas parfaitement aux femmes. Ce n'est pas de la discrimination, mais il y a de légères différences dans la façon dont elles sont traitées. »

Mike fait partie des chefs d'entreprise les plus sensibilisés aux différences entre les sexes. Ces quelques précieux dirigeants comprennent véritablement que les problèmes de communication entre les personnes des deux sexes constituent un *problème d'entreprise*. Ils savent que leur entreprise – leur aquarium – ne prospérera qu´à la condition qu´on en change l'eau.

La solution ? Changer l'eau !

Bon, par quoi devons-nous débuter? La première étape, pour régler les malentendus fondés sur les différences entre les sexes, consiste à se rendre compte que les hommes et les femmes sont deux espèces différentes de poissons. Il s'agit d'un concept assez difficile à comprendre par les temps qui courent. Les féministes nous ont parfois dit que, pour être «égaux», il fallait être «identiques». C´est faux. Les hommes et les femmes ne pensent pas de la même façon. Ils ne communiquent pas de la même façon. Ils n'entendent pas les mêmes propos lorsqu'on leur parle et ils ne veulent pas dire la même chose lorsqu'ils s'expriment. Bien sûr, nous nous comprenons assez pour vivre et travailler ensemble. Mais, souvent, alors que nous croyons avoir compris l'autre, nous nous trompons. La mauvaise communication engendre les interprétations fautives. On peut se sentir blessé sans que personne ne comprenne ce qui s'est passé, et alors personne n'en sort gagnant.

Les femmes pourraient être tentées d'affirmer: «Les hommes doivent changer. Cela résoudrait nos problèmes.» Mais cette façon de penser ne mène nulle part. Il est faux de penser que, si les femmes sont perdantes, les hommes sont gagnants. Il ne s'agit pas d'un jeu à somme nulle. Les problèmes de communication entre les sexes froissent tout le monde. Les hommes ne sont pas responsables de ce problème, et la façon de le régler ne consiste pas à les faire changer. Bien sûr, tout comme les hommes doivent comprendre les processus de réflexion et de communication chez les femmes, les femmes doivent comprendre le style masculin, soit le besoin d'avoir des objectifs, une structure et une hiérarchie, entre autres choses. Les femmes doivent apprendre à considérer les gestes des hommes dans cette optique; elles ne doivent pas simplement «accepter» les hommes tels quels mais comprendre la route qu'ils ont dû parcourir.

Les hommes doivent faire la même chose à l'égard des femmes. Ils doivent connaître la route qu'elles ont parcourue et être capables de se mettre quelques instants dans leur peau. La seule façon d'y parvenir consiste à comprendre en quoi les femmes sont différentes des hommes. Les femmes pensent différemment. Elles assimilent l'information différemment. Elles communiquent différemment.

Ce livre explique comment il faut s'y prendre pour changer l'eau de l'aquarium. Il décrit comment transformer une situation où il n'y a aucun gagnant en une situation où tout le monde est gagnant. Il ne s'agit pas de se défaire une fois pour toutes du vieux modèle et de le remplacer par le nouveau. Il existe des situations où le vieux modèle fonctionne très bien, où la prise de décision centralisée et hiérarchisée est très efficace. Mais il faut changer l'*environnement*. L'eau du vieil aquarium doit être remplacée. Comment doit-on s'y prendre ? En créant une continuité entre l'ancien modèle et le nouveau, en reconnaissant que les hommes et les femmes possèdent tous deux des forces et en sachant comment et quand exploiter ces forces. Une fois ces étapes franchies, vous verrez que le climat de travail changera. Non seulement les femmes seront plus heureuses d'évoluer dans ce nouveau milieu, mais les hommes y trouveront une grande satisfaction également. L'environnement de travail va alors :

- encourager une communication ouverte et franche ;
- favoriser le développement de tous les employés ;
- permettre de reconnaître et d'apprécier les réalisations de chacun ;
- engendrer de la fierté et du plaisir à travailler dans une organisation ;
- permettre d'exploiter le meilleur de chacun ;
- instaurer des valeurs et un climat de confiance ;
- être libérateur au lieu d'être contrôlant ;
- permettre la gestion participative ;
- favoriser une approche inclusive en matière de différences entre les sexes ;
- assurer le respect de l'individu et des valeurs ;
- permettre d'exploiter les forces de chacun au lieu de critiquer les faiblesses.

Pour réussir à changer l'eau de l'aquarium, il faut comprendre qu'il existe des différences entre les sexes. Comme vous le verrez dans les prochains chapitres, une grande partie des problèmes de communication entre les hommes et les femmes viennent de là. C'est du moins la graine à partir de laquelle grandissent les problèmes. Je n'ai pas découvert ces différences en consultant des livres. Je les ai observées à maintes et maintes reprises dans le cadre de mon travail. Vous les avez évoquées lorsque vous m'avez parlé de vous. Nombre de psychologues, de neurologues, de psychiatres, d'anthropologues et d'autres spécialistes ont aussi constaté que ces différences existent.

Les interprétations fautives vont perdurer tant que nous ne comprendrons pas le style de chacun. Le changement débute avec vous. Vous continuerez de mal comprendre les personnes du sexe opposé aussi longtemps que vous ne comprendrez pas comment elles voient la vie.

La bonne nouvelle ? À la fin de votre lecture, vous constaterez que, même si les hommes et les femmes sont différents, il y a plus de points qui les unissent que d'éléments qui les séparent. Les hommes, comme les femmes, veulent que leur travail leur apporte la même chose : le sentiment de faire leur part et la possibilité d'apprendre et de se perfectionner.

Vous ne savez peut-être pas que c'est ce que vous voulez mais, comme vous le verrez sous peu, il y a plein de choses que vous avez à découvrir de vous-même !

Dans le prochain chapitre, vous allez franchir la première étape du voyage en effectuant un examen sérieux et approfondi de ce que vous savez déjà sur les différences entre les sexes.

2

Où en êtes-vous ?

Dans le but d'éviter de généraliser ou de créer des stéréotypes, nous nous tournons vers une forme de dénégation bien intentionnée.

Carol Gilligan, Ph. D., *In a Different Voice* (traduction libre)

Que pouvez-vous faire pour changer votre environnement de travail? Bien que cette tâche puisse sembler monumentale, elle débute par un processus tout simple: trouver quelle part du problème *vous* revient. Pour y parvenir, vous devez d'abord examiner honnêtement à quel point vous êtes sensibilisé aux différences entre les sexes. Autrement dit, vous devez évaluer ce que vous *savez* des éléments qui distinguent le sexe opposé par rapport à ce que vous *pensez savoir* de ces distinctions. Sachez que nous cultivons bien plus d'idées toutes faites et de préjugés que nous le croyons. Attendez-vous donc à quelques surprises!

Comme bien des participants à mes ateliers, vous vous dites sans doute: «Un nouveau millénaire vient de débuter. Nous avons fait des progrès. Tout le monde s'entend sur l'égalité des sexes. Quel est donc le problème?» Ou encore: «Mes parents n'étaient pas vraiment sensibilisés aux différences entre les sexes, mais moi je le suis.»

La plupart des gens s'inscrivent à mes ateliers en se disant que la problématique hommes-femmes n'est plus un enjeu et qu'il n'y a pas vraiment de problèmes à résoudre de ce côté. Mais ils commencent à voir les choses autrement lorsqu'ils répondent au questionnaire sur la sensibilisation aux différences entre les sexes. Il existe quatre stades de sensibilisation :

- La dénégation
- La reconnaissance et la sensibilisation
- La confusion et la frustration
- Le partenariat et l´harmonie

Les stades chez les hommes

Ce premier questionnaire s'adresse aux hommes. Voyez-le comme une occasion d'examiner sérieusement votre propre degré de sensibilisation, sans que personne ne vous critique ou vous blâme. Plus vous ferez preuve d'honnêteté, plus le processus vous sera profitable. Ne vous inquiétez pas ! Il ne s'agit pas d'un examen de fin de session. Il n'y a ni échec ni réussite. Ce test vous permettra simplement de vous situer.

Questionnaire destiné aux hommes

À quelle fréquence les phrases suivantes vous viennent-elles à l'esprit ?

	Jamais	Parfois	Souvent
Le temps va arranger les choses.	☐	☐	☐
Nous avons déjà engagé plus de femmes.	☐	☐	☐
Il faut faire preuve de rectitude politique par les temps qui courent.	☐	☐	☐
Je traite tout le monde de la même façon.	☐	☐	☐
Nous avons mis en place les politiques nécessaires.	☐	☐	☐
Je ne fais aucune discrimination.	☐	☐	☐
C'est la faute du système et je ne peux pas changer le système.	☐	☐	☐
Les femmes ne réussissent pas dans cet environnement.	☐	☐	☐
Les femmes laissent leur emploi pour avoir des enfants.	☐	☐	☐
Les femmes partent surtout pour trouver un meilleur équilibre entre leur vie privée et leur vie professionnelle.	☐	☐	☐

Ce n'est pas une question de sexe, c'est une question de personnalité.	☐	☐	☐
Il s'agit d'un environnement dominé par les hommes.	☐	☐	☐
C'est la culture de notre entreprise.	☐	☐	☐
Le système est totalement opprimant.	☐	☐	☐
Être juste équivaut à donner des chances égales.	☐	☐	☐
C'est la vieille génération qui ne comprend pas ce sujet.	☐	☐	☐
Je ne veux pas voir ma fille travailler ici.	☐	☐	☐
Le travail est difficile. Il faut être disponible en tout temps.	☐	☐	☐

Si vous avez répondu « Parfois » ou « Souvent » à l'un ou l'autre de ces énoncés, vous en êtes au stade un ou deux de la sensibilisation aux différences entre les sexes. Ne vous découragez pas. L'objectif de ce livre est de vous aider à atteindre le stade le plus avancé, soit le stade quatre. Lorsque vous y serez parvenu, non seulement vous pourrez changer votre environnement de travail, mais vous adorerez votre emploi !

Si vous n'avez pas réussi à déterminer à quel stade vous vous situez, ne vous inquiétez pas. Lorsque vous aurez lu les descriptions qui correspondent à chacun des stades, vous trouverez celui auquel vous en êtes. Par ailleurs, rappelez-vous que rien n'est coulé dans le béton. Vous pourriez être au stade un aujourd'hui et au stade quatre demain. Tout le monde ne passe pas directement d'un stade à un autre. Certaines personnes peuvent sauter un stade. D'autres reculent parfois d'un stade avant d'avancer à nouveau.

Votre tâche consiste d'abord à examiner les idées toutes faites que vous entretenez à l´égard des femmes. Même si vous n'en êtes pas conscient, vous en entretenez un certain nombre. Et les femmes en ont aussi à l'égard des hommes. Lorsque vous aurez dressé la liste de ces idées, vous serez prêt à passer aux trois prochains chapitres, qui vous apprendront comment pensent les personnes du sexe opposé et comment écouter leurs propos. Vous pourrez ensuite avoir recours à certains outils, qui vous aideront à améliorer vos relations professionnelles avec elles.

Stade un : la dénégation

Il existe deux formes de dénégation. La première, la « dénégation inconsciente », a lieu lorsqu'on pense connaître quelque chose alors que ce n'est pas le cas. L'autre est plus complexe et plus difficile à reconnaître. Il s'agit de la « dénégation éclairée ». Elle caractérise les hommes qui pensent tout connaître de la problématique hommes-femmes. Ceux qui cultivent cette forme de dénégation ont apporté des changements superficiels à leurs propos ou à leur comportement et pensent qu´ils ont ainsi réglé la question.

La dénégation inconsciente

Les hommes chez qui ce type de dénégation est opérante travaillent habituellement dans un environnement masculin et croient fermement que les femmes vivent les mêmes expériences qu'eux. Selon eux, les préoccupations des femmes ne méritent aucune attention particulière. Ils formulent des affirmations du genre :

- « Nous avons tous un travail à faire et les femmes doivent être traitées exactement comme les hommes. »
- « Les femmes se disent les égales des hommes. Je fais ma part ; elles doivent faire la leur. »
- « Pourquoi les femmes auraient-elles droit à un traitement spécial ? »
- « On n'a rien pour rien – ce principe vaut également pour les femmes. »

Martin, un courtier travaillant dans le quartier financier de Londres, a fait la remarque suivante, qui révèle une dénégation inconsciente : « La problématique hommes-femmes ne se pose pas au travail. Les difficultés proviennent des différences de personnalités. Et on ne peut pas changer la personnalité d'un individu. Pourquoi faire tout un plat d'un courtier qui s'est levé du mauvais pied ? » Les hommes étant au stade de la dénégation peuvent aussi formuler des commentaires du genre : « Nous avons des femmes dans nos rangs. Nos chiffres sont bons. » ou « Nous avons mis en place des politiques en matière de harcèlement et d'égalité des chances, ainsi que des horaires flexibles. Nous n'avons aucun problème. »

J'ai entendu un exemple parfait de cette forme de dénégation. Il s'agissait d'un propos d'un sous-ministre qui discutait avec une collègue du principe d'équité salariale : « Les femmes ont un salaire moins élevé que les hommes parce qu'elles *choisissent* des emplois moins payants.» Il s'agit d'un raisonnement typique du stade un. Il a ensuite ajouté: «Les femmes apportent un revenu d'appoint; c'est à nous d'être les soutiens de famille.»

Au stade de la dénégation, les hommes se sentent à l'aise dans leur environnement de travail. En général, ils pensent que la question des différences hommes-femmes ne se pose pas au travail. «Nous sommes tous égaux. Nous sommes tous des professionnels», affirment-ils. Ces hommes connaissent souvent beaucoup de succès dans leur carrière et sont en position de pouvoir ou en voie de l'être. Ils n'ont aucune raison de «semer le trouble». Au contraire, le statu quo les satisfait pleinement.

La dénégation éclairée

Les hommes faisant de la dénégation éclairée se considèrent «au-dessus» de la problématique hommes-femmes. Les jeunes, surtout, se trouvent à cette étape. Ils formulent des affirmations du genre:

- «Je connais à fond la question des différences entre les sexes. Je suis un homme moderne. Je ne fais aucune discrimination.»
- «Le problème, ce sont les vieux.»

Les hommes qui se trouvent à l'étape de la dénégation éclairée comptent souvent dans leur entourage des femmes qui ont réussi; ils en concluent que le monde a changé. «Le problème est résolu», disent-ils. Comme le mentionne un colonel de l'armée américaine: «Deux femmes sont colonelles ici. Elles ont réussi, donc ce problème est une affaire d'une autre époque.» Bien que ces hommes aient probablement eu dans le passé à régler certains problèmes de relations entre les hommes et les femmes, leur attitude les a entraînés vers une forme de dénégation qui ferme la porte à toute discussion et constitue un énorme obstacle à une meilleure compréhension entre les sexes. À l'étape de la dénégation éclairée, les hommes croient avoir résolu les problèmes parce qu'ils ont modifié de façon superficielle un comportement ou une expression. Ainsi, ils décideront d'utiliser le mot «femme» au lieu des mots «demoiselle» ou «dame». Dans leurs phrases, ils emploieront la formulation «il ou elle».

Ces hommes sont souvent très bien intentionnés, mais ils ont tendance à fonder leur compréhension — plutôt rudimentaire — de la situation sur les quelques cas médiatisés de la problématique hommes-femmes.

Stade deux: la reconnaissance et la sensibilisation

Les hommes qui se trouvent à ce stade de sensibilisation se rendent compte que les hommes et les femmes voient le monde et fonctionnent tout à fait différemment. Ils aimeraient y remédier, mais ne savent pas comment s'y prendre. Ils ne reconnaissent toutefois pas l´ampleur des changements nécessaires. Ils apprécient leur environnement de travail, organisé en fonction du «modèle masculin». Ils disent:

- «Je ne savais vraiment pas que les femmes se sentaient ainsi.»
- «Je vois qu'il y a un problème, mais que puis-je y faire? Je ne peux pas changer le système.»
- «D'accord, nommez-moi trois choses que je peux faire et je m'en occuperai.»

Les hommes passent au stade deux lorsqu'un événement de leur vie personnelle les oblige à revoir leurs idées toutes faites. Par exemple, ces hommes voient leur femme entrer ou retourner sur le marché du travail, ou encore leur fille entamer leur carrière, et ils se mettent à comprendre comment les femmes perçoivent le monde du travail. Ils font des parallèles entre les expériences que vit leur femme ou leur fille et leur propre comportement envers leurs collègues féminines. Les cas médiatisés de discrimination envers les femmes peuvent aussi inciter les hommes à passer au stade deux. Parmi les cas marquants, pensons à cette femme qui travaillait à la Deutsche Bank, en Grande-Bretagne, et qui a été forcée de démissionner d'un poste qui lui rapportait 300 000 livres sterling par an en raison des commentaires sexistes de ses collègues; il y a aussi cette femme travaillant chez JP Morgan, qu'on a «laissée partir» parce qu'elle avait osé demander un horaire de travail convenant mieux à sa vie familiale.

Que se passe-t-il lorsque les hommes entendent parler de ce genre d'affaire? Ils ont l'une ou l'autre des deux réactions suivantes. Certains, qui sont au stade deux, peuvent rapidement régresser au stade un s'ils se sentent obligés, pour éviter des poursuites judiciaires, de se conformer à un environnement politiquement correct; d'autres commencent à réévaluer leurs idées toutes faites (qu'elles soient conscientes ou non) concernant les femmes.

À ce stade, les hommes constatent qu'il y a un problème et ils veulent le régler. Mais ils ne se rendent pas compte que la solution nécessite un changement important: ils pensent que les choses continueront plus ou moins comme avant. Par ailleurs, les hommes ne restent pas longtemps au stade deux. Dans le temps de le dire, ils passent au stade trois. «D'accord, je comprends: vous n'arrêtez pas de dire que vous vous sentez comme une étrangère, mais que puis-je y faire?» a en toute sincérité demandé un agent de police. Ce genre de questionnement mène tout naturellement au stade suivant.

Stade trois: la confusion et la frustration

Les hommes qui sont à ce stade reconnaissent que les personnes des deux sexes vivent des choses différentes, mais ils se sentent blâmés pour les erreurs que la gent masculine a commises au cours des siècles. Auparavant (au stade deux), ils croyaient avoir contribué à améliorer la situation des femmes, mais ils sentent maintenant que leurs efforts n'ont pas porté fruit. Après avoir fait de multiples concessions tout en obtenant les mêmes réactions négatives des femmes, ils se croient prisonniers d'une situation où personne n'est gagnant. Ce stade peut être très frustrant. Les hommes formulent alors des affirmations du genre:

- «Nous avons fait tous les efforts possibles et avons établi des politiques.»
- «Je ne sais pas ce que nous pouvons faire d'autre; peut-être est-ce une situation naturelle.»
- «Nous nous sommes déjà occupés de cela il y a longtemps; il est temps de passer à autre chose.»

Bien des hommes qui travaillent dans des entreprises ayant des difficultés à retenir leurs employées compétentes ont recours à des solutions «miracles», telle une politique favorisant l'embauche de plus de femmes. Mais ces stratégies se révèlent vite inefficaces, et les hommes se sentent alors frustrés et désorientés.

À ce moment, les hommes régressent souvent vers une forme ou une autre de dénégation; on les entend affirmer: «Les femmes ne peuvent tout simplement pas faire face à la situation. Nous avons tenté d'engager plus de femmes. Notre politique d'égalité d'accès à l'emploi est en place depuis des années, mais les femmes continuent de s'en aller.»

Comme me l'a mentionné un cadre supérieur d'une grande banque d'investissement: «Nous ne pouvons rien faire. Les femmes gardent leur emploi dans les services bancaires personnels et aux entreprises, mais pas dans les services bancaires d'investissement. Nous ne pourrons jamais y changer quoi que ce soit.»

Raymond, un cadre intermédiaire d'un fabricant de produits électroniques, est l'exemple type de l'homme au stade trois de sensibilisation. Il me disait: «Les femmes ne peuvent réussir dans notre entreprise. Il y a trois ans, cinq femmes y travaillaient; il n'en reste plus qu'une. Lorsque les choses se corsent, elles partent.» Des entreprises entières, tout comme des individus, sont au stade trois.

Les propos de Richard, chef de la direction d'une société de placement bien connue, révèlent la position classique d'un homme au stade trois. «Nous perdons du terrain avec les femmes. Il y a quelques années, nous en avions une bonne proportion dans nos rangs, mais depuis ce temps, la situation s'est détériorée. Elles partent ou sont mutées à d'autres services bancaires.» Richard ressentait de l'amertume, car ses efforts pour engager des femmes et leur permettre de prospérer avaient échoué. Il était très frustré et en est venu à adopter un nouveau langage avec ses collègues. Au lieu de reconnaître la nécessité de modifier l'environnement de travail, attitude correspondant à un degré de sensibilisation de stade quatre, il a régressé au stade un: «Possible que ce soit simplement une question de nature. Les services bancaires d'investissement ne conviennent peut-être pas aux femmes.»

Le stade trois est parfois tellement frustrant que les hommes trouvent plus facile de régresser vers la «zone de sécurité» du stade un. Mais ils peuvent aussi décider de s'investir davantage, passant ainsi au stade quatre.

Stade quatre: le partenariat et l'harmonie

À ce stade, les hommes reconnaissent que l'expérience des femmes au travail diffère radicalement de celle des hommes. Ils ont arrêté de considérer les questions préoccupant les femmes comme un jeu à somme nulle et de tenter de «remédier» à la problématique hommes-femmes en modifiant uniquement leur langage et leur comportement. Les hommes au stade quatre ne disent pas: «Les questions féminines sont un sujet que nous devons tolérer.» Ils ne considèrent plus les femmes comme une classe à part et reconnaissent que la problématique liée aux différences entre les sexes touche tout le monde. Ils constatent qu'en comprenant les différences entre les sexes chacun peut en sortir gagnant. Ils font des affirmations du genre: «Si nous comprenons mieux les femmes, tout le monde va en profiter. Je peux poursuivre mes efforts au travail pour que chacun ait le sentiment de faire partie du groupe et se sente plus stimulé. »

Jim, chef de service chez IBM, a démontré le désir constant de modifier l'environnement de travail dans son service, un objectif fondé sur la sensibilisation de chacun aux différences entre les sexes. « Ce n'est pas simplement l'idée à la mode en ce moment. Nous allons faire en sorte d'instaurer des changements durables ici ! » a-t-il dit. Il a écouté tous les membres de son équipe en faisant sa part pour trouver des solutions gagnant-gagnant. Ces changements ont véritablement amélioré le climat de travail et la communication entre les employés. Ils ont même eu des répercussions sur certaines différences d'ordre culturel. Ces avantages se sont reflétés dans un sondage qu'a mené le service des ressources humaines : « Le travail de chacun s'est amélioré. Les hommes considèrent que les changements sont positifs pour eux aussi. »

« Il n'est pas toujours facile de s'investir à fond, m'a confié Georges, le directeur d'une société pharmaceutique. Persévérer n'a pas été de tout repos. Mais je vois clairement les progrès que nous avons réalisés ; nous avons plus de plaisir à travailler ensemble. Même les tâches complexes se font plus facilement. » Georges a compris ce qu'il fallait faire et a mis en œuvre des méthodes efficaces.

La volonté est la clé de la réussite. Les hommes ayant atteint le plus haut degré de sensibilisation sont prêts à écouter. Ils ont compris que, pour apprendre, ils doivent tenir compte des commentaires d'autres personnes, comme leurs amies, leurs conjointes ou leurs collègues. Ils savent que le changement est indispensable et écoutent véritablement ce que les femmes ont à dire.

Un homme a eu l'honnêteté d'admettre ceci : « Je n'ai pas la moindre idée de ce que vivent les femmes ; je ne suis pas dans leur peau ! » Il abordait la question de la différence entre les sexes avec curiosité, comme le font les enfants, et ne tenait rien pour acquis. On sera bien plus frustré d'avoir un problème à « résoudre » que d'avoir le sentiment « d'apprendre » quelque chose. Les hommes n'expérimentent pas toujours la frustration liée au stade trois. En fait, ils passent parfois directement du stade deux au stade quatre. Mais le stade deux est particulièrement difficile à franchir. Certains hommes ayant atteint cette étape réagissent aux nouvelles affirmations sur les différences entre les sexes en abandonnant de vieux stéréotypes mais en en adoptant d'autres. Par exemple, ils considéreront le fait que « les femmes prennent le temps de personnaliser les choses » comme une excuse à l'inaction et non comme un angle leur permettant de les voir autrement.

Toutefois, au stade quatre, les hommes ne tombent pas dans ce piège. Ils ne travaillent pas uniquement à modifier leurs attitudes et leurs comportements. Ils comprennent que les hommes et les femmes sont égaux, mais pas identiques. Ils savent que les femmes ont des forces particulières et que, lorsque les hommes et les femmes partagent leurs points de vue, chacun se sent plus stimulé. Ils se sentent à l'aise avec le style féminin et avec leur propre style.

Vous vous dites peut-être que le stade quatre est un stade idéal, un stade impossible à atteindre. Poursuivez votre lecture. À mesure que vous avancerez dans les deux prochains chapitres, vous passerez à travers les quatre stades de sensibilisation. Lorsque vous arriverez à la fin de ce livre, vous serez prêt à vivre le stade quatre et à en apprécier les avantages.

Les stades chez les femmes

Les femmes croient souvent que ce sont les hommes qui ne comprennent rien et qui doivent changer. Rien n'est plus faux ! Les femmes aussi peuvent être dans le déni, une attitude nuisible, peu importe le sexe, car elle provoque des malentendus qui engendrent des idées fausses et laissent tout le monde frustré. Avant de lire le texte sur les quatre stades féminins, examinez vos propres préjugés et idées toutes faites en répondant au questionnaire suivant, qui vous permettra d'évaluer votre degré de sensibilisation aux différences entre les sexes.

Questionnaire destiné aux femmes

À quelle fréquence les phrases suivantes vous viennent-elles à l'esprit ?

	Jamais	Parfois	Souvent
Le temps va arranger les choses.	☐	☐	☐
Les hommes ne se soucient de rien.	☐	☐	☐
Les hommes ne comprennent rien.	☐	☐	☐
Il faut provoquer et confronter les hommes.	☐	☐	☐
Les femmes doivent être plus tenaces et exigeantes.	☐	☐	☐

Les hommes aimeraient bien retourner dans le «bon vieux temps».	☐	☐	☐
C'est l'univers masculin du «old boys club».	☐	☐	☐
C'est la faute du système, et je ne peux pas changer le système.	☐	☐	☐
Il s'agit d'un environnement dominé par les hommes.	☐	☐	☐
Quelques jurons n'ont jamais fait de mal à personne.	☐	☐	☐
Ce n'est pas une question de sexe mais de personnalité.	☐	☐	☐
C'est la culture de notre entreprise.	☐	☐	☐
Je vais continuer de faire mon travail sans m'inquiéter.	☐	☐	☐
Le système est totalement opprimant.	☐	☐	☐
Je ne suis pas féministe.	☐	☐	☐

Si vous avez répondu «Parfois» ou «Souvent» à l'un ou l'autre de ces énoncés, vous en êtes à l'un des premiers stades de sensibilisation. Nous allons voir pourquoi.

Stade un: la dénégation ou l'inconscience

En général, les femmes qui se trouvent à ce stade ne veulent pas entendre parler de différences entre les sexes. Pour elles, être *différentes* des hommes équivaut à être *inférieures*. Beaucoup de femmes qui manifestent un degré de sensibilisation de stade un ont passé leur vie professionnelle à tenter de prouver qu'elles sont aussi bonnes ou meilleures que les hommes. Elles ont démontré qu'elles sont en mesure de rivaliser avec eux. Pour y parvenir, elles ont dû se libérer des stéréotypes et se battre contre les attitudes conformistes de leurs collègues. Elles se sont inscrites à des ateliers portant sur le leadership, où on leur a appris qu'il ne faut jamais dire «Excusez-moi», mais qu'il faut, au contraire, s'exprimer d'une voix forte, garder le contrôle en tout temps et s'assurer d'être toujours la première à interrompre les autres. Autrement dit, elles ont appris à se comporter comme des hommes.

Les femmes au stade un disent:

- «La question des sexes n'engendre aucun problème particulier, selon moi.»

- « Je sais qu'il y a des problèmes, mais ils proviennent de la personnalité des gens et on ne peut pas changer la personnalité. »
- « Le temps va arranger les choses. »

Ces femmes croient que le modèle masculin est le modèle à suivre. Elles ne peuvent imaginer qu'il y ait d'autres façons de se comporter. Beaucoup, au stade de la dénégation et de l'inconscience, sont paralysées par l'équation « être différente équivaut à être moins bonne, moins compétente, moins talentueuse, moins appréciée, moins prospère ». D'ailleurs, les caractéristiques féminines ont longtemps servi de justification pour confiner les femmes à la sphère domestique. Les femmes prospères évitent de parler de différences entre les sexes pour ne pas qu'on les utilise contre elles. « Je veux tout simplement faire mon travail; je ne m'occupe pas de tout ça », disent-elles. J'en ai vu se donner beaucoup de mal pour aplanir les différences qui pourraient les distinguer en tant que femmes. Ainsi, une politicienne demandait à son adjointe de porter son sac à main lorsqu'elle se présentait à une conférence de presse. « Ça me permet d'entrer d'un pas énergique, comme le font les hommes! » disait-elle.

Brenda, une directrice commerciale fort respectée, m'a confié : « Ça ne m'intéresse pas de trouver des différences entre les sexes. Ce sont des excuses que certaines femmes utilisent. Il faut agir comme les gars! » Évidemment, Brenda était un « homme portant des vêtements de femme »; elle avait acquis l'assurance, la discipline et le leadership nécessaires pour réussir dans le monde du travail. Mais les hommes, comme les femmes, la craignaient. Ce genre de femmes affirme : « J'ai dû me battre pour me hisser au haut de l'échelle. C'est la même chose pour tout le monde. Les autres femmes ne peuvent s'attendre à bénéficier d'un traitement spécial; elles doivent répondre à nos critères. »

Il existe une autre forme de stade un, qui caractérise souvent les jeunes femmes. À l'université, les hommes et les femmes se font enseigner les mêmes habiletés de la même façon. Il est donc difficile de discerner les différences entre eux. Les jeunes femmes se convainquent alors que les jeunes hommes leur ressemblent plus ou moins et qu'ils n'agiront pas différemment une fois sur le marché du travail. Elles n'ont encore rien vu. Lorsqu'elles subissent le comportement paternaliste de leurs collègues masculins plus âgés, elles se disent qu'ils sont simplement une exception à la règle, des vestiges du passé.

Les femmes qui sont à ce stade en viennent à considérer leur travail comme « une routine », où elles doivent simplement persévérer : elles se lèvent le matin, vont travailler et ne font pas trop de vagues.

Stade deux : la reconnaissance et la sensibilisation

Comme les hommes au même stade, les femmes au stade deux reconnaissent qu'il existe des différences fondamentales dans la façon dont les hommes et les femmes perçoivent le monde, mais elles ne veulent pas changer le statu quo. Elles sont prêtes à respecter la structure hiérarchique traditionnelle sans la remettre en question.

Étonnamment, bien qu'elles parlent des problèmes qu'elles doivent affronter au travail, la plupart des femmes ont tendance à croire qu'elles en sont la cause. C'est seulement peu à peu qu'elles découvrent qu'une partie des problèmes est de nature culturelle. Anne, chercheuse dans une société pharmaceutique, m'a dit : « Je pensais que j'étais responsable des difficultés que je vivais au travail. Mais, après avoir lu certaines études et discuté avec d'autres femmes, je me suis rendu compte que je n'étais pas la seule à les subir. »

Les femmes qui sont à ce stade disent :

- « Je croyais qu'il me fallait simplement travailler plus fort pour faire mes preuves ; je me rends compte maintenant que beaucoup d'autres femmes ressentent la même chose que moi. »
- « D'accord, il y a sans doute des différences entre les sexes, mais j'en vois davantage à la maison qu'au travail. »
- « Je ne veux pas être étiquetée comme féministe ou plaignarde. »

À ce stade, les femmes saisissent que quelque chose ne va pas, mais elles ne sont pas encore déterminées à agir. Elles ne veulent pas trop se distinguer des hommes. Elles se disent qu'elles peuvent fonctionner dans la structure organisationnelle et sont certaines de pouvoir trouver des solutions elles-mêmes. « Je peux me débrouiller », disent-elles souvent. Elles considèrent les positions féministes comme « extrêmes » et ne joignent jamais les rangs des regroupements féminins de l'entreprise où elles travaillent. « Je ne me sens pas vraiment représentée par le féminisme », affirment-elles.

Beaucoup de femmes de moins de 35 ans sont au stade deux. Ces femmes reconnaissent que les différences entre les sexes engendrent des problèmes, mais, comme les femmes au stade un, elles pensent que le temps arrangera les choses. « Lorsque les hommes plus âgés vont partir, les choses vont s'améliorer », croient-elles. Les travailleuses du secteur des services se trouvent généralement au stade deux. Elles reconnaissent que les hommes et les femmes travaillent différemment, mais elles s'organisent pour se créer une niche confortable où elles peuvent fonctionner à leur aise.

Stade trois : la confusion et la frustration

À ce stade, les femmes se trouvent à un carrefour : soit elles se résignent, soit elles trouvent une porte de sortie. Elles ont tenté à plusieurs reprises de faire face à certaines situations, mais sans résultats tangibles. Leurs commentaires ressemblent à ceux-ci :

- « Je sais ce qui ne va pas, mais tout le monde me dit de simplement accepter les choses comme elles sont. »
- « C'est la faute du système et le système est impossible à changer. »
- « J'ai tenté d'améliorer les choses, mais on ne peut rien faire. »

Beaucoup d'entre elles se sont hissées au sommet de la structure organisationnelle. Elles ont subi bien du stress à tenter de surmonter les difficultés engendrées par les rapports hommes-femmes au travail, et elles en ont maintenant assez. Elles sont prêtes soit à quitter leur emploi pour aller faire autre chose, soit à « végéter », c'est-à-dire à travailler le nombre d'heures demandées chaque jour, mais sans enthousiasme ni engagement.

Au stade trois, les femmes ne veulent pas se battre contre le système. Elles peuvent ressentir une grande ambivalence face aux tâches à accomplir, au rôle qu'elles doivent assumer et à la décision de mener une révolution. Elles se sentent tenues à l'écart. Karen, une jeune agente de police noire, m'a confié : « C'est comme ça que les choses se passent ici. Le système nous opprime complètement. Ça fait 15 ans que je me bats et rien n'a changé. »

Au stade trois, beaucoup de femmes pensent à changer de carrière, à se lancer en affaires ou à joindre une entreprise de plus petite taille, convaincues que la situation y est plus rose. Une employée de brasserie m'a confié qu´elle était fatiguée de la testostérone mur à mur ! Elle n'en pouvait plus de chercher sa place dans un environnement masculin et il lui semblait impossible de changer le système. Comme bien d'autres femmes au stade trois, elle aspirait à un poste où elle pourrait être elle-même, à un environnement où elle se sentirait valorisée. Elle voulait accomplir un travail où elle aurait l'impression de faire sa part.

Comme Sandra, l'avocate dont nous avons parlé au chapitre précédent, les femmes qui ont atteint un degré de sensibilisation de stade trois choisissent de marquer leur désapprobation en partant.

Stade quatre : le partenariat et l'harmonie

Au stade quatre, les femmes ont surmonté l'ambivalence qui les assaillait au stade trois. Elles se rendent compte qu'elles n'ont pas le choix : après avoir hésité entre le statu quo et l'action, elles ont choisi l´action. Elles ont mis de côté le passé et ont décidé de se concentrer sur l'avenir. Elles repartent sur de nouvelles bases, avec la volonté d'agir plutôt que de se contenter de réagir aux différences entre les sexes. Elles assument la situation qui est la leur au lieu de s'y résigner. Elles sont prêtes à prendre position et à créer un environnement inclusif au travail. Elles font des affirmations du genre :

- « Le statu quo ne peut durer éternellement. »
- « Les hommes, comme les femmes, font maintenant leur part, et nous pouvons tous constater les progrès accomplis. »
- « Au lieu de subir les différences, nous nous en servons à notre avantage. »
- « J'ai maintenant le goût d'aller travailler. »

Ces femmes désirent améliorer les choses et s'arrangent pour y arriver. En plus de voir leur autonomie renforcée, elles joignent souvent les rangs de comités ou de groupes de travail préoccupés par la problématique hommes-femmes.

Le risque qu'elles courent ? Régresser au degré de sensibilisation de stade trois. Il faut comprendre que les réseaux féminins recréent parfois le même type d'exclusion que celui qu'ils cherchent à éliminer au départ. En voulant être proactives, les femmes peuvent tomber dans le piège du « nous contre eux ». J'encourage celles qui ont décidé d'agir à faire participer les hommes à leurs comités ou groupes de travail. Certaines réagissent en demandant : « Qu'y a-t-il de mal à former un groupe de femmes ? » Ce genre de réaction indique un degré de sensibilisation de stade trois. Les femmes qui acceptent mon conseil se trouvent véritablement au stade quatre.

Ces dernières finissent par retirer des bénéfices des efforts qu'elles déploient pour inclure les hommes dans leur démarche. Elles comprennent les points communs des hommes et des femmes aussi bien que leurs différences, qui ne constituent d'ailleurs plus un « problème à résoudre ». En fait, elles voient plutôt les avantages que ces différences entraînent et comprennent le potentiel d'un véritable partenariat entre hommes et femmes. « Nos différences nous donnent de la force », affirment-elles.

À ce stade, les femmes ont mis les reproches de côté. Elles ne disent plus « vous ne nous comprenez pas » aux hommes de leur entourage, mais « essayons de nous mettre les uns à la place des autres pour quelque temps ». Elles comprennent qu'hommes et femmes perçoivent le monde différemment, et que les différences peuvent être des forces complémentaires. Les hommes et les femmes se trouvant au stade quatre sont capables de considérer les différences entre les sexes comme une réalité dont tout le monde peut tirer profit.

« C'est une façon beaucoup plus agréable et enrichissante de voir les choses, affirmait Anna, cadre dans le secteur bancaire, qui avait décidé d'agir. Nous sommes maintenant réellement capables d'écouter, de communiquer et de résoudre les problèmes au fur et à mesure qu'ils se présentent. Il y a toute une différence avec l'époque où chacun choisissait son camp en argumentant et en discutant pour savoir qui avait tort et qui avait raison ! Mieux encore, nos résultats témoignent avec éloquence de notre réussite. »

À quel stade les femmes restent-elles le plus longtemps ? Vous l'avez probablement deviné : au stade trois. À ce stade, elles ont reconnu qu'il y a un problème, mais elles se sentent impuissantes à intervenir. Elles cherchent les résultats d'enquêtes et d'études qui prouvent l'ampleur du problème. Ou encore, elles font leur part et finissent par se sentir frustrées et amères. Dans ce cas, plusieurs d'entre elles adoptent une attitude correspondant à un degré de sensibilisation de stade deux ou bien elles quittent l'entreprise. Autrement dit, elles sont coincées à l'étape de l´identification du problème.

Comment les femmes peuvent-elles se sortir de cette impasse ? Poursuivez votre lecture. Dans le chapitre suivant, je vous expliquerai les caractéristiques qui distinguent les hommes et les femmes. Puis, je vous présenterai des témoignages d'individus des deux sexes qui évoquent en toute franchise leur expérience personnelle en milieu de travail. Si vous gardez l'esprit ouvert et laissez vos idées toutes faites de côté, vous verrez à quel point les différences entre hommes et femmes peuvent engendrer des malentendus frustrants pour tout le monde. Vous verrez comment débute la spirale des malentendus.

Lorsque vous aurez compris cela et que vous aurez appris à vous mettre à la place de l'autre, vous serez prêt à utiliser les outils qui permettent de surmonter ces difficultés et à passer au stade quatre, celui du partenariat et de l'harmonie.

3

L'origine des différences

Les mâles et les femelles forment une combinaison gagnante depuis 550 millions d'années. La raison ? Les mâles ont l'œil sur un tas de difficultés véritablement importantes, alors que les femelles ont l'œil sur un ensemble, totalement différent mais tout aussi important, de réalités.

Howard Bloom, *The Global Brain* (traduction libre)

Vous vous souvenez de Sandra, cette avocate qui a quitté son emploi en disant à ses patrons qu'elle voulait passer plus de temps avec sa fille ? Sa vie de famille n'était pas le motif réel de sa démission. Je l'ai compris lorsque j'ai rencontré Sandra pour en discuter avec elle.

Sandra tentait de s'adapter au modèle de gestion traditionnel, mais elle n'avait pas l'impression d'exploiter toutes ses compétences et elle se sentait peu valorisée. Elle avait la grande qualité de savoir comprendre les gens. Elle les écoutait avec plus d'attention que ne le faisaient ses collègues masculins. Elle savait lire entre les lignes et saisir des éléments qu'ils ne voyaient pas. Elle avait une vue d'ensemble, alors qu'eux ne s'attardaient qu'à un aspect de la situation. Elle savait établir de bonnes relations avec ses clients et devinait ce qu'ils éprouvaient. Ses clients sentaient qu'elle se préoccupait vraiment de leurs besoins. Ils la trouvaient consciencieuse, car elle prenait le temps d'étudier tous les aspects d'un problème avant de tirer ses conclusions.

Nathan, le jeune cadre du Body Shop, trouvait, quant à lui, que ses collègues féminines ne lui permettaient pas d'exploiter toutes ses compétences. Nathan savait se concentrer sur les tâches à accomplir. Il trouvait que ses collègues faisaient trop de digressions durant les réunions; elles passaient d'un sujet à l'autre plutôt que d'aller droit au but. Nathan était capable de se concentrer, de suivre une ligne de pensée et de trouver des solutions aux problèmes. Mais, surtout, il avait l'impression qu'il pouvait faire avancer les choses et passer de la parole aux actes.

Les histoires de Sandra et de Nathan ne m'ont pas surprise. Comme nous sommes à une époque où l'on croit que «pour être égaux il faut être identiques», on attribue automatiquement les différences dans les façons de penser, de travailler et de communiquer des hommes et des femmes à des différences de personnalité. Mais c´est une erreur. Les hommes et les femmes, je l'ai dit, sont comme deux espèces de poissons dans un aquarium. Comme Sandra, la majorité des femmes excellent à obtenir le consensus, à établir de bonnes relations, à développer leur pensée intuitive et à mener plusieurs tâches de front, pour ne nommer que ces quelques qualités féminines. Quant aux hommes, ils ont, comme Nathan, un mode de pensée linéaire et adoptent une approche centrée sur les tâches et les objectifs. Ces différences n'ont rien à voir avec la personnalité individuelle. Au travail, les hommes et les femmes pensent, assimilent l'information et communiquent différemment.

Les preuves scientifiques

La communauté scientifique ne s'intéresse aux différences entre les sexes que depuis peu. Ce manque d'intérêt n´est pas étonnant. Au début des années 70, les femmes étaient lasses d'entendre dire qu'elles étaient biologiquement destinées à assumer les rôles d'épouse et de mère. La société a décidé que l'égalité existait entre les hommes et les femmes et que les femmes étaient capables d'accomplir les mêmes tâches que les hommes. Puis, il est arrivé une chose étrange. Tout le monde a commencé à donner à «égal» le sens de «identique», et il est devenu presque tabou de parler de différences entre les sexes.

Dans les années 80, on s'est mis à reconnaître que ces différences existaient, mais le débat portait sur ce qui les engendrait: la nature ou l'éducation?

On cherchait davantage à trouver la réponse à cette question qu'à étudier les différences.

Toutefois, à cette époque, de nouvelles techniques ont permis aux scientifiques de se rendre compte que le cerveau des hommes et des femmes ne fonctionnait pas de la même façon. Les scientifiques ont pu constater que le cerveau des hommes était en moyenne jusqu'à 10 % plus gros que celui des femmes. Ils ont aussi observé que certaines parties du cerveau des femmes renfermaient plus de neurones et que ceux-ci produisaient plus de décharges que dans les parties correspondantes du cerveau masculin. Ces décharges sont des messages qu'envoient différentes zones cérébrales. Chez les femmes, la partie du cerveau associée aux capacités langagières renferme jusqu'à 11 % plus de neurones que la partie correspondante chez l'homme.

Ce n'était toutefois qu'un début. Dans les années 80 et 90, la majorité des scientifiques sont parvenus à s'entendre sur le fait que les hommes et les femmes pensent et traitent l'information de façon différente. Au cours de la dernière décennie, des chercheurs dans les domaines de la médecine, de la biologie, de la sociologie et de la psychologie ont accumulé les découvertes sur les différences entre hommes et femmes qui découlent de leur activité cérébrale. Par exemple, les femmes ont de la facilité à s'exprimer verbalement, alors que les hommes maîtrisent mieux les opérations dans l'espace. Les femmes mémorisent mieux que les hommes des listes de mots ou le texte d'un paragraphe. Les hommes se représentent mieux que les femmes des images en rotation. Les hommes réussissent mieux que les femmes à s'orienter dans un espace clos et à aller dans une direction donnée sur une route, mais les femmes se rappellent mieux que les hommes les points de repère qui jalonnent une route.

Maintenant qu'il n'est plus tabou de parler de différences entre les sexes, on ne les cache plus. Il est étonnant d'entendre tout ce que les professionnels ont à dire des différences qu'ils observent et de l'âge précoce où on les constate. Les médecins affirment qu'après seulement huit secondes de vie ils peuvent relever des différences entre un poupon garçon et un poupon fille. Un médecin m'a même affirmé pouvoir faire ces constatations les yeux bandés.

Les bébés filles sont plus sensibles au toucher, à la lumière et aux sons. Il est plus facile de les réconforter par des paroles et des chansons, et même avant de comprendre le langage, les filles réussissent mieux que les garçons à saisir le contenu émotif d'un message. Les filles commencent très tôt à vouloir communiquer avec leur entourage. Elles entretiennent un contact visuel avec un adulte silencieux deux fois plus longtemps que les garçons et regardent aussi plus longtemps un adulte en train de parler. Dans leur berceau, les garçons ont tendance à se parler à eux-mêmes, à s'intéresser à leurs jouets et à regarder des motifs abstraits, comme des mobiles. Non seulement les bébés garçons sont-ils moins «sensibles», mais ils établissent moins de contacts visuels avec leur mère que les bébés filles. Dès les premiers mois, les garçons maintiennent leur attention sur un objet ou une personne moins longtemps que les filles.

Bien sûr, tous les parents remarquent qu'il y a des différences entre les garçons et les filles, ce qui devient encore plus évident sur les bancs d'école. Les sociologues ont constaté que, même en bas âge, les fillettes aiment tout naturellement entretenir des relations avec les autres. Elles cherchent à intégrer les nouveaux venus dans leur groupe alors que les garçons restent plutôt indifférents à leur endroit. Les garçons ont tendance à être individualistes et à faire preuve d'esprit de compétition. Ils établissent une hiérarchie dans leurs groupes et passent leur temps à décider qui est le meilleur au lieu de veiller à inclure tout le monde. Les filles passent du temps à jaser en petits groupes, alors que les garçons se chamaillent et font beaucoup de bruit. On pourrait dire que le slogan des premières est «toutes ensemble» et que la devise des seconds est «la vie est un concours».

Certaines des différences de comportement viennent bien sûr de la façon dont garçons et filles sont élevés. Elles peuvent aussi résulter de l'évolution. Après tout, le cerveau humain évolue depuis des millions d'années en fonction des tâches auxquelles les hommes et les femmes ont été astreints. Dans son livre *The First Sex,* l'anthropologue Helen Fisher explique que le cerveau a évolué de telle façon que les hommes deviennent des chasseurs habiles, et les femmes, des rassembleuses. En tant que chasseurs, les hommes passaient leur temps à se battre pour devenir les meilleurs, alors que les femmes prenaient soin de leurs proches. Le cerveau des hommes s'est adapté à viser un objectif alors que celui des femmes a appris à réagir à de nombreux stimuli simultanés: les femmes devaient tout à la fois chercher de la nourriture, entretenir des relations entre elles et surveiller les enfants.

Mes propres observations sur les particularités des hommes et des femmes dans leurs façons de penser, d'agir et de communiquer au travail vont dans le même sens que les conclusions de ces auteurs. L'évolution a certainement permis aux hommes et aux femmes de devenir deux sortes d'animaux bien différentes. Pour nous éclairer, rien ne vaut les découvertes de la science moderne. Au cours de la dernière décennie, les progrès technologiques dans le domaine de la neuroscience ont permis aux scientifiques d'étudier le cerveau des hommes et des femmes au travail. Qu'ont-ils découvert ? Presque tous les chercheurs et scientifiques spécialisés dans l'étude des rapports entre les sexes constatent que le cerveau des hommes et des femmes est différent et que ces différences influent sur presque tout ce que nous faisons.

Notre cerveau est différent

Le cerveau humain établit une division du travail entre les hémisphères gauche et droit. Le côté droit exerce un contrôle sur le langage, les mouvements délicats du corps et le classement ordonné des choses. Le côté gauche contrôle les habiletés visuelles et spatiales, la pensée abstraite et la gestion des émotions. En étudiant le débit sanguin, les scientifiques ont réussi à identifier quelles parties du cerveau sont sollicitées pour l'exécution de tâches précises. Ils ont découvert que les hommes se servent du côté droit pour certaines activités et du côté gauche pour d'autres, mais que les femmes ont recours, en même temps, et presque à parts égales, aux deux côtés de leur cerveau pour effectuer une foule de choses.

D'après Sandra Witelson, professeure de psychiatrie et de neurosciences comportementales à l'Université McMaster, en Ontario, qui a étudié le cerveau de Einstein, « la division du travail n'apparaît pas aussi distinctement dans le cerveau des femmes[1] ». Par exemple, lorsque les hommes parlent, le côté droit de leur cerveau est actif. Lorsque les femmes parlent, les deux hémisphères sont actifs. Lorsque les hommes et les femmes traitent des données visuelles, il se produit la même différence dans la division de l'activité cérébrale : chez les femmes, les deux côtés du cerveau fonctionnent, alors que chez les hommes

1 S.F. Witelson, I.I. Glezer et D.L. Kigar. «Women Have Greater Density of Neurons in Posterior Temporal Cortex», *Journal of Neuroscience*, 15, 1995.

seul le côté gauche est actif. Au cours d'expériences sur les habiletés spatiales, on a constaté que, chez les hommes, c´est le côté droit du cerveau qui s´active, alors que chez les femmes ce sont les deux côtés. Lorsqu'on leur demande la signification de certains mots, les hommes ont recours au côté gauche de leur cerveau, et les femmes, encore une fois, aux deux côtés. Les tests acoustiques provoquent le même phénomène : lorsque les femmes écoutent, leur cerveau répartit le travail entre les deux hémisphères, alors que chez les hommes l'activité est concentrée d'un seul côté.

Afin de trouver d'où proviennent ces différences, les chercheurs ont, au cours des dernières années, étudié le corps calleux, une large bande constituée d'une multitude de fibres nerveuses reliant les deux hémisphères cérébraux. Ils ont découvert que le corps calleux est plus gros chez les femmes que chez les hommes. Le Dr Roger Gorski, professeur d'anatomie et de biologie cellulaire à l'université de Californie, à Los Angeles, indique que ces observations renforcent la théorie voulant que « les deux côtés du cerveau des femmes communiquent davantage ». Cette étude indique que les hommes « font travailler davantage un côté de leur cerveau ».

En étudiant le débit sanguin dans le cerveau, des chercheurs de l'université de Pennsylvanie ont fait une autre découverte intéressante. Le Dr Ruben Gur, le neuroscientifique qui dirigeait cette étude, a constaté que les hommes et les femmes sollicitaient des parties différentes de leur cerveau pour accomplir des tâches mentales similaires. Il s'est aussi rendu compte que, comparativement au cerveau des hommes, celui des femmes n'est presque jamais « éteint ». En fait, le débit sanguin est presque aussi grand dans le cerveau d'une femme en train de se reposer que dans celui d'un homme en train de réfléchir ! « Le taux de décharges des neurones est plus élevé chez les femmes », explique-t-il. Certains scientifiques croient aussi que, chez les femmes, les centres des émotions sont répartis plus également dans tout le cerveau que chez les hommes, ce qui signifie qu'elles associent des émotions à beaucoup d'autres processus ayant lieu dans le cerveau.

Toutes ces différences entre le cerveau des hommes et des femmes, étudiées et décrites par les scientifiques, ont un impact dans nos vies quotidiennes et au travail.

Nous voyons les choses différemment

On pourrait dire que les hommes regardent le monde avec des jumelles, alors que les femmes le voient à travers un kaléidoscope. J'ai souvent demandé à des hommes et à des femmes ce qui leur vient à l'esprit lorsqu'ils entrent dans une pièce et vont s'asseoir sur une chaise. Les hommes me répondent: «Je repère la chaise et je vais m'asseoir.» On ne peut pourtant pas dire que les hommes sont *incapables* de voir ce qu'il y a dans la pièce, mais ils ne le remarquent pas automatiquement. Ils ont tendance à être systématiques et à suivre un rituel. Ils adoptent une routine et s'y tiennent.

Les femmes notent une profusion de détails pendant qu'elles se dirigent vers la chaise. En quelques secondes, elles remarquent l'expression des autres personnes présentes et évaluent l'état d'esprit qui règne dans le groupe. Elles décodent le langage corporel des gens présents. Elles remarquent où chacun est assis. Elles font des liens. Les femmes font tout cela naturellement, souvent sans même s'en rendre compte... jusqu'à ce qu'elles découvrent que les hommes ne font pas la même chose!

Il y a deux éléments à retenir de ces observations: d'abord, le cerveau des femmes n'est jamais à l'état de repos; ensuite, l'activité simultanée des deux hémisphères du cerveau des femmes indique qu'elles font une multitude de liens lorsqu'elles regardent autour d'elles.

Nous ne retenons pas la même information

La mémoire des femmes joue aussi un rôle dans leur façon d'assimiler l'information. Les études sur les différences entre le cerveau des hommes et celui des femmes ont démontré que les femmes gardent des souvenirs dans différentes parties de leur cerveau. Les femmes remarquent un grand nombre de détails et font instantanément des liens avec des éléments du passé. Le tout forme une espèce de fonctionnement multitâche. En fait, il serait plus juste de dire que les femmes excellent dans le «mode de pensée multiple».

Beaucoup d'hommes m'ont affirmé que, selon eux, les femmes jonglent avec un tas d'informations inutiles. Les hommes devraient pourtant voir les choses différemment. Les femmes n'ont pas le défaut d'être incapables de se concentrer. Elles ont la capacité d'établir des liens entre différents éléments. Elles remarquent une foule de détails qui n'attirent pas l'attention des hommes. Parfois, il faut se concentrer rapidement sur un aspect précis d'un problème. Quand vient le temps d'assimiler de l'information, il existe différentes méthodes, et l'une n'est pas meilleure ou pire que l'autre. Il faut arrêter de croire qu'il n'y a qu'une seule façon, la «bonne façon», d'accomplir un travail. Il faut en arriver à apprécier et à respecter les talents de chacun.

Les hommes ont tendance à s'intéresser à une seule situation à la fois. Dans une conversation, ils ne veulent pas s'éloigner du sujet. Les femmes, ayant une mémoire qui conjugue différents éléments, font plus facilement des enchaînements. Les hommes qui les écoutent peuvent avoir l'impression qu'elles ne vont jamais au bout d'une idée. En fait, elles apportent continuellement de l'eau au moulin.

Nous réglons les problèmes différemment

Le cerveau des femmes accumule naturellement une foule d'éléments. Il n'est donc pas surprenant que les femmes s'y prennent autrement que les hommes pour résoudre un problème. Ceux-ci ont tendance à trouver rapidement une solution et à la mettre en œuvre sans tarder. Ils considèrent les difficultés comme des choses auxquelles ils doivent s'attaquer. Ils isolent le problème, se retroussent les manches et se mettent au travail. Les hommes ont un besoin urgent d'agir. Instinctivement, ils vont isoler la question qui les préoccupe, l'analyser et la résoudre.

Quant aux femmes, elles ont tendance à jongler avec différentes solutions avant d'en choisir une. S'il est vrai (et c'est ce qu'affirment les scientifiques) que les femmes utilisent plusieurs parties de leur cerveau en même temps, il est facile de voir pourquoi elles abordent la résolution de problèmes de cette façon. Les femmes y appliquent un mode de pensée multiple : elles considèrent un problème sous tous les angles avant de le régler.

Bien sûr, si le cerveau des hommes fonctionne en isolant chacune des tâches à accomplir, il est facile aussi de comprendre leur méthode de résolution de problèmes ! En pratique, je constate que les hommes remarquent le problème, pensent à une solution et agissent pour la réaliser. Ils ne veulent pas «perdre» du temps à en discuter.

Nous écoutons différemment

Même notre façon d'écouter est différente. De simples tests réalisés en laboratoire ont montré que les hommes ont de la difficulté à filtrer les bruits de fond. Lorsqu'il y a beaucoup de bruit dans une pièce ou qu'il y a deux ou trois conversations en même temps, les hommes ont de la difficulté à écouter ce qu'on leur dit. Dans la même situation, les femmes reçoivent le message clairement. Elles sont capables d'avoir une conversation téléphonique tout en observant ce qui se passe autour d'elles. Par exemple, elles sont capables de noter des choses à faire tout en restant attentives à la conversation. Les hommes sont virtuellement incapables de faire cela. Le Dr Ruben Gur affirme: «Les femmes croient souvent que les hommes ne les écoutent pas et qu'ils ne se préoccupent pas d'elles. En réalité, les hommes ont plus de difficulté à écouter ce qui leur est dit.»

Nous prenons nos décisions différemment

Le même type de comportement que celui que je viens de décrire se produit dans la prise de décision. L'élément clé à retenir: les perspectives des hommes et des femmes étant différentes, leurs méthodes de prise de décision sont également différentes. Pour les femmes, il importe de connaître tout le contexte avant de trancher. Les femmes ont tendance à s'attarder aux conséquences à long terme. Elles établissent des liens entre une décision et une autre et se demandent quels seront les effets de la première sur la seconde. Elles se demandent quelles répercussions aura telle ou telle décision sur les autres services de l'entreprise ou sur les relations qu'elles entretiennent avec un client. Instinctivement, elles relient tous les éléments les uns aux autres.

Les hommes, eux, n'ont pas l'habitude de faire tous ces liens, bien qu´ils apprécient généralement cette façon de procéder chez les femmes. Ils se concentrent sur le court terme. Le monde des affaires exige de savoir réagir vite: il faut prendre des décisions et les prendre rapidement. Les hommes ont tendance à isoler les différents enjeux afin de se décider dans les plus brefs délais.

Un de mes anciens clients chez General Motors avait l'habitude de comparer les méthodes de prise de décision des hommes et des femmes à une «maison dans un arbre». «Les femmes préfèrent monter dans la maison et examiner toute la scène d'en haut, disait-il. Elles explorent l'ensemble de la situation, ainsi que les liens entre les éléments, alors que les hommes veulent rester les deux pieds sur terre pour agir. Je me sers maintenant des forces des hommes et des femmes, et cela nous aide à prendre de meilleures décisions, plus ordonnées. Maintenant, je recherche activement ces perspectives différentes.»

Nous avons des priorités différentes

Le «mode de pensée multiple» des femmes joue un rôle sur leur façon d'établir leurs priorités. Les femmes sont capables de jongler avec plusieurs choses en même temps. Une femme a déjà comparé son bureau à une immense cuisinière où une douzaine de casseroles mijoteraient en même temps: «Il faut les brasser chacune à un moment précis.» Elle s'assure de garder l'œil sur toutes les casseroles pour remuer la bonne au bon moment. Les femmes ont tendance à voir leur travail et la vie de cette façon.

En revanche, ce scénario convient difficilement aux hommes. Ceux-ci ont tendance à accorder la priorité à un seul élément d'une liste à la fois et à biffer les éléments l'un après l'autre. Les hommes disent: «Je choisis la casserole la plus importante et j'en brasse le contenu, puis je passe à la suivante.»

Nous vivons nos émotions différemment

La psychologue de l'Université McMaster Sandra Witelson a découvert que les hommes et les femmes réagissent différemment aux données affectives que reçoivent l'hémisphère droit et l'hémisphère gauche du cerveau. Chez les hommes, les réactions affectives sont concentrées dans la partie droite du cerveau, alors que chez les femmes, les réponses émotionnelles se produisent dans les deux parties. Les hommes captent les émotions grâce à l'hémisphère droit, alors que la capacité de s'exprimer se trouve dans l'hémisphère gauche. Comme chez les hommes il n'y a pas autant de liens entre les deux côtés du cerveau que chez les femmes, ils ont plus de difficulté à exprimer leurs émotions.

Les femmes ne subissent pas ce genre de séparation puisque leur cerveau n'est pas organisé de la même façon que celui des hommes. C'est pourquoi les femmes ont plus de difficulté à séparer émotions et raison.

Lorsque le cabinet d'experts-comptables Deloitte & Touche, en collaboration avec le groupe de recherche en marketing Fortune, a mené une enquête auprès de plusieurs centaines de gens d'affaires sur les habiletés que les femmes devaient développer pour mieux réussir en affaires, les répondants ont formulé de multiples suggestions. Celle-ci en particulier: les femmes doivent apprendre à séparer leurs émotions de leurs décisions d'affaires et à moins s´investir personnellement. Vous savez maintenant pourquoi les femmes ont de la difficulté à y parvenir.

Dans la même veine, la Dre Helen Fisher, anthropologue et auteure de *The First Sex*, affirme que les femmes ont tendance à se sentir impliquées parce que leurs connecteurs affectifs sont plus liés aux connecteurs verbaux. Les femmes expriment leurs émotions par des mots. Cela ne veut pas dire que les hommes n'ont pas d'émotions; ils ont simplement plus de difficulté à les exprimer verbalement.

Nous interprétons les émotions différemment

Il est toujours utile de savoir si une personne est heureuse ou triste, si elle s'intéresse à nous ou si nous l'ennuyons. Des tests indiquent que les hommes ont plus de difficulté que les femmes à déchiffrer les expressions du visage. Plus précisément, les hommes ont plus de difficulté à comprendre la *signification* des expressions du visage des femmes que celles des hommes. Ces tests indiquent aussi que le cerveau des femmes n'a pas à s´activer autant que celui des hommes pour interpréter une expression du visage. Autrement dit, comparativement aux hommes, les femmes identifient les émotions des autres avec plus d'aisance.

Le Dr Gur, de l'université de Pennsylvanie, a effectué des recherches bien documentées dans ce domaine. Ainsi, il a montré à des individus des photos de gens en train de sourire, de froncer les sourcils et de pleurer. La plupart des hommes ont pu identifier la bonne émotion sur le visage des hommes, mais ils avaient souvent de la difficulté à interpréter ces mêmes émotions sur le visage des femmes. Les femmes n'ont eu aucune difficulté à interpréter les émotions sur le visage des hommes et des femmes.

Les émotions sont souvent ce qui frappe les femmes en premier. Elles reconnaissent l'émotion de leur interlocuteur avant même que celui-ci ne se mette à parler. Pour les hommes, «ça va» veut dire «ça va» même si la personne le dit en fronçant les sourcils. Pour les femmes, le froncement de sourcils est plus révélateur que les paroles.

Nous gérons le stress différemment

Les hommes combattent le stress ou le cachent pour se concentrer sur un problème. Les femmes ont tendance à partager leurs sentiments et à se tourner vers leurs amis.

Récemment, deux professeures de l'université de Californie, à Los Angeles, ont mené une étude sur le sujet. Les résultats sont étonnants. Les scientifiques ont longtemps cru que le stress libérait des hormones qui poussent le sujet soit à se battre, soit à s'enfuir le plus loin possible. Ils ont longtemps supposé que la réaction de combat ou de fuite était identique chez les hommes et les femmes. Comme l'explique la Dre Laura Cousino Klein, une des deux responsables de l'étude: «Un jour, nous disions à la blague que, lorsque les femmes qui arrivent au laboratoire sont stressées, elles se mettent à tout ranger, à boire du café et à parler avec les autres. Et lorsque les hommes sont stressés, ils se tiennent à l'écart et veulent être seuls.»

La Dre Klein et sa collègue ont décidé de vérifier ces hypothèses. Elles ont découvert qu'en période de stress l'organisme féminin libère une hormone, l'oxytocine, qui atténue la réaction de combat ou de fuite, probablement pour que les femmes protègent leurs enfants et restent avec les autres femmes au lieu de s'éloigner du danger. Selon leurs études, lorsque ce réflexe de protection ou d'aide se déclenche, l'oxytocine continue d'être libérée, ce qui vient atténuer le stress et a un effet apaisant. Cette réaction d'apaisement ne se produit pas chez les hommes, affirme la Dre Klein, parce que la testostérone, qui est libérée en plus grande quantité en période de stress, semble réduire les effets de l'oxytocine, contrairement à l'œstrogène, qui les augmenterait. Cette différence entre les hommes et les femmes a des répercussions énormes dans nos vies[2].

Nous travaillons en équipe différemment

Les femmes ont une tendance naturelle à collaborer avec les autres, alors que les hommes aiment naturellement rivaliser et gagner.

Des chercheurs de l'université Emory, à Atlanta, en Georgie, ont observé l'activité cérébrale d'hommes et de femmes au cours de certains jeux. Pendant

2 Dr Laura Cousino Klein, *Enquête UCLA: Les hommes et les femmes face au stress,* université de Californie, Los Angeles, 2001.

que les femmes s'amusaient à un jeu de société, les chercheurs soumettaient leur cerveau à un test d'imagerie par résonance magnétique, qui permet d'étudier le débit sanguin. Chez les femmes, les centres du cerveau associés aux récompenses s'activaient lorsque les femmes collaboraient entre elles: plus elles collaboraient, plus les centres s'activaient. Les chercheurs ont découvert que, dans les situations où les femmes ont la possibilité de collaborer avec une autre personne, les parties du cerveau sollicitées sont aussi activées par des «récompenses», telles que la nourriture, l'argent et les drogues. Cela signifie que l'organisme féminin a été en quelque sorte programmé pour associer «collaboration» et «récompense».

D'autres chercheurs ont aussi découvert que le cerveau des femmes enregistre toute forme de collaboration comme une récompense, même si cette collaboration ne satisfait aucun intérêt personnel précis. Les hommes, de leur côté, se sentent récompensés lorsqu'ils réussissent à battre un concurrent et à gagner au jeu. Dans une équipe, le même phénomène se produit s'ils en deviennent la vedette ou le chef.

Ne cherchez pas : il n'y a pas de coupable !

Lorsque je présente les résultats des recherches scientifiques aux participants de mes ateliers, tous, hommes et femmes, se sentent soulagés. Pourquoi ? Parce qu'ils apprennent que personne n'est responsable des différences qu'il y a entre les sexes. Personne ne devrait se sentir coupable ou inférieur en raison de ses idées ou de sa façon de gérer ses émotions. Le cerveau des hommes et des femmes ne fonctionne pas de la même façon et personne ne peut changer cette réalité. Durant des années, nous avons blâmé les personnes du sexe opposé parce qu'elles ne pensaient pas comme nous, mais ce n'est pas leur faute ! Les hommes et les femmes ne voient pas la réalité avec les mêmes yeux. Ils sont vraiment différents.

Au cours de mes 20 années de travail consacrées aux différences entre les hommes et les femmes, les modèles que j'ai remarqués concordent tout à fait avec les résultats obtenus par les scientifiques, qu'il s'agisse des liens plus nombreux qui existent entre les deux hémisphères du cerveau des femmes ou de l'approche plus ciblée des hommes en matière de résolution de problèmes.

Dans toutes les entreprises où j'ai travaillé, ces différences ont provoqué nombre de malentendus, de conflits et de blessures d'amour-propre.

Voici un bref résumé des différentes approches qui caractérisent les hommes et les femmes.

Les femmes

- se justifient
- cherchent un terrain d'entente
- établissent des liens en parlant
- se sentent valorisées à travers leurs relations
- ont un mode de pensée multiple: font des digressions dans une conversation
- ont une vision multidimensionnelle
- se soucient des sentiments
- considèrent en général tous les détails avant de prendre une décision
- partagent leurs problèmes lorsqu'elles veulent parler d'elles
- considèrent d'abord le problème comme «le leur»
- progressent personnellement lorsqu'elles se sentent valorisées

Les hommes

- font preuve d'insouciance
- cherchent les lacunes
- tissent des liens dans des jeux et les tâches à accomplir
- se sentent valorisés par leurs accomplissements
- ont un mode de pensée linéaire: règlent un problème à la fois
- ont une vision linéaire
- se soucient de leur indépendance
- veulent en général en arriver directement au fait
- partagent leurs problèmes seulement lorsqu'ils veulent les régler
- considèrent d'abord le problème comme celui de quelqu'un d'autre
- progressent personnellement lorsqu'ils doivent lutter et débattre

Ce n'est pas un hasard s'il y a autant de disparités dans la manière dont les hommes et les femmes abordent une même situation ou une même tâche. Les hommes et les femmes *sont* différents. Leurs façons d'assimiler de l'information, de réfléchir ou de communiquer divergent. Cela crée toutes sortes de malentendus. Pourquoi? Comme vous le verrez dans les deux prochains chapitres, les hommes et les femmes supposent que leurs collaborateurs vont penser ou réagir exactement comme ils le feraient. Lorsque ce n'est pas le cas, ils tirent des conclusions hâtives sur le sens de ces idées ou réactions.

Les différences physiologiques entre le cerveau des hommes et celui des femmes ne constituent que le début de ce voyage. Dans les deux prochains chapitres, vous verrez comment ces différences se reflètent dans la vie quotidienne. Vous entendrez des hommes et des femmes parler ouvertement de leurs expériences de travail avec des personnes du sexe opposé et vous commencerez à saisir comment il se fait que les différences entre les sexes engendrent des malentendus frustrants pour les hommes et pour les femmes.

Heureusement, il y a de la lumière au bout du tunnel. En découvrant les gestes qui alimentent la confusion, vous aborderez la première étape avec le désir d'y remédier.

4

Les doléances masculines

Il faut tenir compte des deux points de vue pour examiner les choses, pour vraiment les comprendre. Cette approche doit nous aider à comprendre les propos que nous échangeons et nous éclairer sur le sexe opposé; il n'est pas question d'étiqueter les uns comme ayant tort et les autres comme ayant raison, ce qui ne ferait que creuser le fossé entre les sexes.

Niels Bohr, physicien danois (traduction libre)

Il est étonnant de constater à quel point les hommes et les femmes se connaissent peu. Je veux dire se connaître *véritablement*. Les hommes et les femmes croient qu'ils en savent long sur le sexe opposé, mais en réalité, ils n'ont que des opinions. On peut émettre des opinions. Mais elles ont une portée, un contenu et une utilité limités. Pourquoi ? Parce qu'elles sont fondées sur les correspondances que nous établissons entre le comportement de l'autre et notre propre expérience.

Lorsque nous jugeons le comportement des personnes du sexe opposé à partir d'opinions, nous avons surtout tendance à chercher à confirmer ce que nous croyons déjà. Nous avons aussi tendance à leur donner instinctivement « raison » ou « tort » au lieu de simplement les écouter.

Dans ce chapitre, il sera temps de laisser vos opinions de côté. Vous apprendrez à comprendre les personnes du sexe opposé en étant sensibilisé à des éléments qui vous étaient jusqu'alors inconnus. Vous ferez des découvertes, votre esprit sera sollicité par des éléments entièrement nouveaux, vous saisirez des choses auxquelles vous ne vous étiez jamais attardé auparavant, vous verrez le monde sous un jour totalement nouveau. Peu de gens sont payés pour comprendre, alors nous n'y pensons pas souvent. Mais il faut apprendre à comprendre les personnes du sexe opposé et à dire: « Ah! je comprends! »

Lorsque j'ai commencé à présenter des ateliers sur les rapports entre les sexes, je regroupais les hommes et les femmes dans deux pièces différentes et je leur demandais d'exprimer librement ce qu'ils pensaient, sans prendre de gants blancs. Ce chapitre résume ce qui se passe dans la pièce où sont réunis les hommes: ce qu'ils ont à dire et leurs conclusions. Si vous êtes un homme, vous serez sans doute en accord avec les commentaires présentés. Si vous êtes une femme, voici l'occasion de vous mettre à la place d'un homme et de pouvoir enfin dire: « Ah! je comprends! » Mais vous y parviendrez seulement si vous laissez vos opinions de côté et écoutez vraiment ce que les hommes ont à dire.

Bien des femmes croient connaître les hommes. Lorsqu'elles entendent leurs doléances, elles ont souvent tendance à les banaliser, voire à les ignorer. Il est facile d'étiqueter les hommes et de les considérer comme des dinosaures. Mais essayez de résister. Acceptez l'information telle quelle. J'ai entendu des dizaines de milliers d'hommes formuler les mêmes plaintes. Les sentiments que les hommes expriment sont sincères. Si vous êtes une femme, essayez d'imaginer comment vous agiriez si vous vous rendiez chaque matin au travail avec, en tête, les mêmes préoccupations qu´eux. Poursuivez votre lecture et vous ferez des découvertes. Les hommes vous donnent la chance de voir le monde de leur point de vue. Pourquoi ne pas saisir cette occasion?

Comme je l'ai déjà dit, il est étonnant de constater à quel point les hommes et les femmes se connaissent peu. La preuve? Lorsque les femmes entendent les doléances des hommes, leur réaction la plus fréquente est: « Je ne savais pas qu'ils ressentaient cela. »

Les 5 principales doléances des hommes

Il est difficile d'inciter les hommes à exprimer ce qu'ils ressentent lorsqu'ils travaillent avec des femmes. Quand je leur demande ce qui leur pose le plus de difficulté, beaucoup se referment sur eux-mêmes. «Il n'y a pas de problème», affirment-ils. Un de mes collaborateurs explique leur réaction comme suit:

> «Les hommes font très, très attention lorsqu'ils parlent des femmes. Il se passe parfois cinq bonnes minutes avant que l'un d'eux ne se décide à parler. Ils craignent d'être accusés de ne pas être politiquement corrects. Lorsqu'ils commencent à parler, ils me disent: "N'écrivez pas ça... Vous ne pouvez dire ça de cette façon..." Ce genre de conversation les rend mal à l'aise.»

Si vous êtes une femme, cette seule remarque devrait vous en dire long sur le point de vue des hommes concernant la problématique hommes-femmes. La plupart des femmes sont convaincues que les hommes ne veulent pas aborder le sujet parce qu'ils se rebellent. En réalité, cette question les intimide. Peu de femmes se rendent compte que les tout-puissants mâles du monde des affaires ont l'impression qu'ils doivent user d'une grande prudence en la matière. Et ils ont raison, vous verrez bientôt pourquoi.

Voici certains des propos que tiennent les hommes lorsqu'ils sont regroupés ensemble dans une pièce. Si vous êtes un homme, n'hésitez pas à cocher les doléances qui sont aussi les vôtres.

- ☐ Les hommes ont l'impression qu'ils doivent être très prudents.
- ☐ Les hommes se sentent déconcertés.
- ☐ Les hommes craignent d'être accusés de harcèlement.
- ☐ Les hommes ont l'impression de faire l'objet de discrimination à rebours.
- ☐ Les hommes se sentent blâmés.

Doléance n° 1 :
Les hommes ont l'impression qu'ils doivent être très prudents

Les hommes disent :

- « J'ai l'impression de devoir marcher sur des œufs lorsque je suis avec des femmes. »
- « Quand je suis avec une femme que je ne connais pas bien, je dois faire encore plus attention, être encore plus prudent. Je ne sais jamais comment elle va réagir. »
- « Je veux faire preuve de respect à leur égard, mais il arrive que ça se retourne contre moi. »

Bien des hommes ont l'impression qu'ils doivent continuellement se tenir sur leurs gardes avec les femmes. Dans certaines situations, ils peuvent prédire la réaction d'un homme, mais pas celle d'une femme. Par exemple, un avocat m'a déjà dit : « Si mon collègue Harry n'a pas fait du bon travail en cour, je peux simplement lui dire : "Harry, ton travail était nul aujourd'hui." Puis nous passons à autre chose. Avec une femme, je ne sais jamais ce qui va arriver. J'ai l'impression que je dois tourner ma critique jusqu'à ce qu'elle finisse par comprendre le message. Pourquoi ? Parce que je sais qu'elle va avoir l'impression que je la remets en question, elle. Harry, lui, n'en fait pas de cas. »

Voici ce que les hommes rapportent le plus souvent :

- Ils ont l'impression que les femmes se souviennent de tout et qu'ils doivent être très prudents puisque « tout [leur] retombe dessus, même des années plus tard ».
- Ils ont l'impression que les femmes se sentent attaquées personnellement et qu'elles réagissent de manière excessive à des choses qu'eux ne relèvent même pas.
- Ils se préoccupent de la façon de présenter une critique à une femme sans l'offenser.
- Ils ne savent pas ce que vivent les femmes.
- Ils craignent d'être considérés comme condescendants ou comme faisant preuve de discrimination s'ils prennent une femme sous leur aile.

- Ils ne savent pas s'ils doivent complimenter ou non une femme sur son apparence. Ça leur semble être un geste courtois, mais elle pourrait mal le prendre.
- Ils ont peur de voir une femme se mettre à pleurer.

La réaction des femmes

Les femmes sont surprises de voir les hommes accorder autant d'importance à ce genre de détails. Elles sont étonnées de constater à quel point les hommes ont peur de faire pleurer une femme. Voici ce que disait l'une d'elles: «Je ne me doutais pas que les hommes se préoccupaient autant de la façon d'agir avec les femmes, de la façon de faire bonne impression auprès d'elles ou de la manière d'éviter de les froisser. Je croyais qu'ils ne pensaient jamais à cela.»

Bien sûr, après les roses, il y a le pot. Les femmes se sentent quelque peu découragées lorsqu'elles entendent des hommes dire qu'ils se montrent méfiants avec elles; en effet, cela confirme leurs pires craintes. Les femmes réentendent toujours les mêmes vieux clichés au travail: «Qu'est-ce que c'est que cette peur de nous faire pleurer? Combien de fois avez-vous vu une femme pleurer au travail?» D'après elles, les hommes supposent que toutes les femmes sont semblables et qu'ils ne peuvent prendre le risque d'être directs avec aucune d'elles.

Ce que les femmes doivent comprendre

Les femmes sont plutôt mécontentes d'apprendre que les hommes les traitent avec une certaine prudence. Mais en écoutant les hommes parler de la délicatesse dont ils doivent faire preuve, celles-ci se rendent compte qu'ils agissent ainsi, non pour les exclure, mais simplement parce qu'ils se sentent hésitants avec elles. Voilà donc pour les femmes l'occasion de dire un premier «Ah! je comprends!». Elles s'aperçoivent que les hommes, même s'ils leur donnent l'impression de les écarter, ne font qu'user de prudence. Pour quelle raison sont-ils aussi prudents? Ils ne connaissent tout simplement pas les règles à respecter. Ils ne savent pas comment les femmes vont réagir à leurs gestes et à leurs propos, et ils ont peur de les offusquer ou d'être mal compris. Les hommes font donc en sorte d'éviter les problèmes, conflits et frictions qui pourraient survenir. Les femmes doivent comprendre que la méfiance des hommes n'est pas voulue, mais qu'elle constitue un élément important dans les rapports hommes-femmes. Elles doivent laisser savoir aux hommes qu'ils n'ont pas besoin de faire preuve de méfiance à leur égard et leur montrer qu'elles comprennent ce qu'ils ressentent.

Ce que les hommes doivent comprendre

Les hommes se rendent compte que leurs hésitations envers les femmes et leurs tentatives d'esquiver certaines questions pour éviter les problèmes donnent aux femmes l'impression d'être exclues. Voilà la principale raison qui pousse les femmes à réagir négativement. Pour remédier à cette situation, les hommes doivent faire l'effort d'être aussi directs que possible avec les femmes et même de leur confesser qu'ils craignent leur réaction. Ce genre d'approche convient aux femmes. Elle leur semblera honnête et respectueuse.

DOLÉANCE Nº 2 :
Les hommes se sentent déconcertés

Les hommes disent :

- « J'aimerais bien connaître les règles de base à suivre avec une femme ; jusqu'à quel point dois-je faire preuve de familiarité ? »
- « Dois-je tirer une chaise pour l'aider à s'asseoir ou non ? »
- « Au travail, peut-on parler aux femmes de leur famille ? »

Au travail, la plupart des hommes suivent le modèle hiérarchique, mais ces règles sont en train de changer, et les hommes le savent. Ces changements les déconcertent. Beaucoup d'hommes affirment qu'on les a élevés en leur disant de faire preuve de respect et de courtoisie à l'égard des femmes, mais lorsqu'ils agissent ainsi, ils reçoivent des signaux contradictoires des femmes. Ils se demandent donc comment agir.

Un jeune ingénieur m'a relaté une scène dont il a été témoin entre deux collègues : « J'ai vu deux membres de notre équipe sortir de l'ascenseur après une réunion plutôt houleuse. Le cadre a posé la main sur l'épaule de la femme en la félicitant pour son bon travail. Elle a répliqué brusquement : "La main seulement!" J'étais choqué de la voir réagir ainsi alors que les intentions de l'homme étaient sans équivoque. Personnellement, j'essaie d'être avenant et courtois et de traiter les femmes de la même façon que les hommes. Je ne suis pas condescendant. Certaines femmes le comprennent, mais d'autres pas. Les règles semblent être différentes d'une femme à l'autre et même d'un jour à l'autre. Je ne réussis pas à comprendre les règles de base à suivre...»

Voici ce que les hommes rapportent le plus souvent:

- On leur a montré à être polis et respectueux envers les femmes, mais ils reçoivent des signaux contradictoires des femmes lorsqu'ils agissent ainsi.
- Ce que leur mère, leur sœur ou leur femme leur a appris ne semble pas s'appliquer à leurs collègues féminins.
- Ils veulent aider les femmes en leur offrant, disons, de les raccompagner chez elles, mais ils craignent de donner l'impression de leur faire des avances.
- Ils ne savent pas comment un contact physique sera interprété.
- Ils ont l'impression de devoir se tenir sur leurs gardes.

La réaction des femmes

Les femmes se rendent compte que les inquiétudes des hommes sont réelles. Même si elles ne comprennent pas pourquoi ils sont aussi déconcertés, elles constatent que ce sentiment existe bel et bien. D'une certaine façon, elles se sentent soulagées: elles ont souvent ressenti l'incertitude des hommes à leur égard sans vraiment savoir ce qui la provoque.

Les femmes ne comprennent pas les hommes lorsqu'ils leur expliquent qu'entre eux les façons de faire sont assez simples: lorsque des hommes sont ensemble au travail, tout le monde suit certaines règles et respecte certaines attentes. Bien des hommes se demandent si ces «règles masculines» sont encore appropriées au travail, mais elles fonctionnent et leur assurent une sorte de zone de sécurité.

Les hommes affirment qu'ils ne passent pas tout leur temps à réfléchir à la façon de passer un message à d'autres hommes, mais que le processus de communication est beaucoup plus complexe avec des femmes; les femmes ne se rendent pas compte que les hommes éprouvent ce genre de difficulté. Les hommes peuvent obtenir de femmes différentes, et parfois de la même femme, des réactions différentes dans des situations similaires. Déconcertés, ils cherchent un ensemble de règles à appliquer lorsqu'ils sont en présence de femmes.

Ce que les femmes doivent comprendre

De crainte d'être mal compris, les hommes finissent souvent par ne pas dire ce qu'ils pensent. Ils évitent ainsi un problème mais en provoquent un autre: les femmes se sentent exclues. Lorsque les hommes se montrent hésitants ou peu enthousiastes à l'égard des femmes, celles-ci ont l'impression d'être tenues à l'écart des cercles de décision. Les femmes doivent se rendre compte que cela n'est pas intentionnel. Ainsi, pour éviter de se sentir exclues, les femmes doivent poser des questions ouvertes en évitant de blâmer qui que ce soit. D'ailleurs, comme nous le verrons plus loin, le sentiment d'exclusion est l'une des principales doléances des femmes à l'égard des hommes.

Ce que les hommes doivent comprendre

Il n'existe pas d'ensemble de règles à suivre lorsqu'on travaille avec des femmes. Dès que les hommes commencent à suivre un certain modèle, les femmes s'en rendent compte et cela leur déplaît. Les hommes doivent plutôt tenter de s'y prendre avec les femmes comme ils le feraient avec un client: avoir l'œil ouvert, être à l'affût des commentaires, s'intéresser aux informations qu'elles peuvent fournir et leur poser des questions. Lorsque vous lirez le chapitre sur les doléances des femmes et comprendrez que les femmes sont une «espèce différente de poisson», il vous sera plus facile de trouver comment agir avec elles.

DOLÉANCE Nº 3: Les hommes craignent d'être accusés de harcèlement

Les hommes disent:

- «Je ne vais même plus manger le midi avec une femme.»
- «Quand nous travaillons tard le soir, vais-je l'inviter à aller souper ensuite? Pas question!»
- «Je suis même inquiet lorsque je me retrouve seul avec une femme dans un ascenseur!»

Les hommes ont très peur d'être accusés de harcèlement; le spectre des fausses allégations les terrifie. Voici ce qu'un homme affirme: «J'ai vu ce qu'un de mes collègues a vécu lorsqu'il a été accusé de harcèlement. Je sais que c'était faux, mais l'entreprise l'a mis au pilori.» À cause de ce qu'ils ont vu autour d'eux, les hommes sont déterminés à faire tout en leur pouvoir pour éviter les accusations; ils vont même jusqu'à éviter de commenter la nouvelle coiffure d'une collègue. Comme ils ne connaissent plus les règles à suivre, les hommes craignent de faire un geste amical qui pourrait être interprété comme du harcèlement.

Il est difficile d'évaluer si cette crainte est exagérée. Les hommes ont vu des collègues aux prises avec ce problème ou ont entendu parler de cas semblables, et ils sont convaincus que l´étiquette de harceleur serait le pire frein à leur carrière. Même l'idée qu'une femme *envisage* de porter des accusations contre eux les terrifie.

La réaction des femmes

Les femmes sont toujours surprises de découvrir à quel point le harcèlement inquiète les hommes. Les hommes seront sans doute étonnés d'apprendre que les femmes passent peu de temps à se préoccuper de cette question (à moins, bien sûr, d'avoir fait l'objet de harcèlement, auquel cas la question devient vraiment préoccupante). Les femmes affirment qu'elles ignorent que les hommes, même ceux avec qui elles entretiennent de bons rapports, se soucient de cet aspect de leur relation avec elles. C'est ainsi qu'une femme résume la situation: « Pour moi, il est assez simple de savoir s'il s'agit ou non de harcèlement. »

Ce que les femmes doivent comprendre

Lorsque les hommes craignent d'être accusés de harcèlement, ils limitent leurs rapports avec les femmes; celles-ci se disent alors qu'ils ne se soucient pas d'elles, qu'ils se désintéressent d'elles ou qu'ils sont distants. Mais, en réalité, les hommes se soucient des femmes; ils ne savent tout simplement pas comment mieux le montrer. Les femmes doivent comprendre à quel point cette crainte préoccupe les hommes et, surtout, éviter de la banaliser. Il n'y a pas de réponse toute faite à la question: quel comportement doivent adopter les femmes? Elles doivent bâtir des relations de confiance avec les hommes et faire en sorte que ceux-ci se sentent en sécurité.

Ce que les hommes doivent comprendre

Les hommes sont surpris d'apprendre que les femmes passent peu de temps à avoir peur du harcèlement. Mon conseil? Ne cherchez pas à éviter les rapports avec les femmes. Agissez comme vous le feriez avec un client et considérez la situation en détail. Les femmes accepteront toujours un compliment bien tourné. Si vous évitez toute forme de communication, il n'y aura plus de place pour l'humour et le plaisir au travail. Et tout le monde sera perdant.

DOLÉANCE N° 4 : Les hommes ont l'impression de faire l'objet de discrimination à rebours

Les hommes disent :

- « Je vois certaines offres d'emploi et me dis qu'elles ne sont pas destinées aux hommes de race blanche. »
- « Je pense que le meilleur candidat, homme ou femme, devrait obtenir le poste, et non pas la meilleure candidate ; mais ça ne semble plus être la façon de voir les choses par les temps qui courent. »
- « J'ai vu une femme obtenir le poste de chef de la direction alors qu'elle n'avait aucune expérience d'ordre opérationnel ! Pouvez-vous me dire que ce n'est pas parce qu'il s'agit d'une femme ? »

Certains hommes croient que les hommes de race blanche ont dégringolé les échelons. Les statistiques contredisent l'impression qu'ils ont de ne jamais voir leur candidature retenue pour les meilleurs postes, mais certaines anecdotes et expériences individuelles alimentent leur pessimisme. Beaucoup d'hommes croient que les politiques d'égalité en matière d'emploi limitent leurs possibilités.

Les hommes qui ont déjà une carrière établie ne se sentent pas davantage à l'abri de la discrimination à rebours. Comme le faisait remarquer l'un d'eux : « Toutes sortes de moyens sont mis en œuvre pour les femmes ; il existe des réseaux et des clubs de femmes, des groupes d'intérêt pour les professionnelles. Si je faisais partie d'un club exclusivement masculin, on dirait que c'est du machisme. »

Par ailleurs, bien des hommes soulèvent la question des « deux poids, deux mesures », qui favorise les femmes. « Les femmes peuvent faire des blagues grossières sur les hommes et on considère cela comme tout à fait acceptable », disent les hommes. Les hommes (et les femmes sans enfants) ont, d'autre part, le sentiment de devoir travailler plus fort que les femmes qui ont des enfants.

« Personne ne pose de questions lorsqu'une femme doit quitter le travail plus tôt pour s'occuper de ses enfants, mais on ne me permet pas de faire la même chose », m'a dit un homme.

La réaction des femmes

La plupart des femmes croient que la discrimination à rebours est un mythe. Elles savent que certains hommes ont l'impression que les femmes obtiennent des promotions parce qu'elles sont des femmes, qu'on met davantage l'accent sur la place des femmes au travail que sur celle des hommes et que les hommes compétents sont parfois oubliés. Mais tout cela n'impressionne guère les femmes, surtout celles qui travaillent dans des domaines non traditionnels et qui ont constamment le sentiment de devoir se battre pour être prises au sérieux.

Ce que les femmes doivent comprendre

J'encourage les femmes à mettre leurs sentiments de côté lorsqu'elles entendent les hommes parler de discrimination à rebours. Beaucoup d'hommes croient sincèrement en être victimes. Cette perception a des effets négatifs sur leur comportement à l'égard des femmes. Que la discrimination à rebours soit une réalité ou non sur le plan statistique, là n'est pas la question. Lorsque des hommes ont le sentiment de faire l'objet de discrimination à rebours, ils réagissent en faisant preuve de cynisme. Ils disent : « De toute façon, elle va obtenir le poste parce qu'elle est une femme. Alors pourquoi me donner autant de peine. » Ils ne parlent que de leurs propres sentiments, mais ils renforcent l'une des principales doléances des femmes : la crainte d'être considérées comme « femmes-alibis ». Cette réaction alimente chez les femmes le sentiment d'être constamment mises à l'épreuve.

Encore une fois, les femmes doivent comprendre à la *perception* des hommes, tout en les encourageant à vérifier les faits. En étudiant les statistiques à ce sujet, les hommes se rendront vite compte que la discrimination à rebours est plus un mythe qu'une réalité. On doit dire aux hommes que leur perception ne correspond pas à la réalité, mais sans les blâmer individuellement.

Ce que les hommes doivent comprendre

Bien que les politiques d'égalité en matière d'emploi soient une réalité, la discrimination à rebours est un mythe. Les hommes doivent éviter de généraliser à partir du seul exemple d'une femme qui a gravi quelques échelons un peu trop vite. Les politiques d'égalité en matière d'emploi ont obligé les employeurs à prendre des décisions plus objectives. Ils doivent maintenant justifier leurs choix. Traditionnellement, les hommes sont engagés pour leur potentiel, alors que les femmes le sont pour leur rendement antérieur et leurs compétences. L'égalité en matière d'emploi signifie que tout le monde doit être engagé en fonction des mêmes critères.

DOLÉANCE Nº 5 : Les hommes se sentent blâmés

Les hommes disent :

- « Quand j'entends parler de "milieu de travail dominé par les hommes", j'ai l'impression qu'il s'agit d'une opération de dénigrement menée par des féministes contre les hommes. »
- « Pourquoi les femmes blâment-elles tous les hommes pour les erreurs que quelques-uns ont commises par le passé ? »
- « Par les temps qui courent, j'ai l'impression que je dois m'excuser d'être un homme. »

Beaucoup d'hommes ont l'impression que les femmes les mettent dans le même panier. « Nous ne sommes jamais traités comme des individus », me disent les hommes. « Ce n'est pas ma faute si votre patron ne vous a pas traitée équitablement il y a 15 ans. » Ils ont le sentiment que les médias et la culture organisationnelle ont encouragé un mode de pensée qui dénigre les hommes, et que cette façon de penser s'est infiltrée dans tous les domaines de leur vie. Les hommes sont donc automatiquement sur la défensive. Chaque fois qu'ils entendent l'expression « dominé par les hommes », ils ont le sentiment d'être blâmés pour une situation sur laquelle ils n'ont aucun contrôle.

« J'ai l'impression qu'on me reproche de respirer, disent les hommes. J'ai le sentiment qu'on va pester contre moi si je fais telle chose ou si je ne la fais pas. »

La réaction des femmes

Dans ce cas, les femmes commencent à saisir ce que veulent dire les hommes. La plupart des femmes ont déjà été témoins de dénigrement systématique à l'encontre des hommes au travail; souvent, elles y ont participé ou l'ont provoqué, et elles le savent. Dans un monde où les hommes ont traditionnellement tenu les rênes du pouvoir, les femmes se sentent justifiées d'adopter ce genre de comportement. Il leur semble normal et même acceptable de critiquer les hommes, à la blague bien sûr. Certaines femmes, surtout les plus vieilles, font encore plus de plaisanteries lorsque les hommes s'en plaignent. «Mais vous AVEZ tort!» affirment-elles.

Les femmes se rendent compte aujourd'hui que ce genre de commentaire n'est pas aussi inoffensif et acceptable qu'elles le croyaient. Les hommes se sentent blâmés d'être des hommes. Les femmes sont toujours surprises de faire cette constatation. Ce que les femmes prennent pour une forme de taquinerie équivaut pour les hommes à se faire «reprocher de respirer».

Ce que les femmes doivent comprendre

Lorsque les hommes ont l'impression d'être tous mis dans le même panier, ils réagissent souvent en cherchant à écarter les femmes et en adoptant même un comportement cynique à leur égard. Beaucoup d'hommes réagissent ainsi sans même s'en rendre compte. Mais les femmes comprennent le message. Comme vous le verrez au chapitre 5, ce genre de réaction renforce l'une de leurs principales doléances: le sentiment de se sentir tenues à l'écart, exclues et sur la sellette. Néanmoins, les femmes doivent cesser de faire des généralisations radicales au sujet des hommes; elles doivent éviter de dire: «Les hommes sont…» Elles doivent traiter leurs collègues masculins comme des individus se trouvant à différents stades de sensibilisation.

Ce que les hommes doivent comprendre

Lorsqu'ils se sentent blâmés d'être des hommes, les hommes doivent protester et aborder le sujet franchement avec les femmes. Celles-ci ont souvent tendance à généraliser lorsqu'elles se sentent victimes de discrimination. Les hommes doivent s'élever contre ce type de comportement. Ils doivent faire savoir aux femmes que leurs reproches sont injustes (sans se mettre à leur faire des reproches à leur tour!).

Il est intéressant de constater que les doléances des hommes et des femmes ne changent pas. Année après année, ceux-ci répètent les mêmes choses au sujet de leurs relations avec les femmes au travail, et celles-ci répètent les mêmes choses quand il est question de leurs relations professionnelles avec les hommes. Qu'ils soient avocats, comptables, secrétaires, soldats, cadres intermédiaires, chefs de direction ou employés de bureau, qu'ils soient dans la trentaine, dans la quarantaine ou dans la cinquantaine, tous ressassent les mêmes sujets sans arrêt.

Alors, est-ce vrai ? Les hommes n'obtiennent-ils qu'une maigre part du gâteau dans le monde du travail ? Les nouvelles règles les pénalisent-elles vraiment ?

Les sentiments des hommes et leur interaction avec les sentiments des femmes sont la seule «vérité» à laquelle je m'intéresse. Après avoir écouté des milliers d'hommes parler de ce qu'ils ressentent à travailler avec des femmes, je peux affirmer qu'ils sont sincères. Ils sont déconcertés et ont l'impression qu'ils doivent faire preuve d'une grande prudence lorsqu'ils font affaire avec des femmes. Ils se sentent injustement blâmés pour la façon dont les machistes ont agi par le passé et ont l'impression de payer la note en devenant à leur tour victimes de politiques de discrimination à rebours. Les femmes peuvent ne pas aimer ce qu'elles entendent, mais elles doivent accepter le fait qu'il s'agit d'une représentation précise de ce que ressentent les hommes. Et, bien sûr, elles doivent se mettre à l'écoute des hommes, puisque les doléances de ces derniers jettent une lumière nouvelle sur un grand nombre de comportements que les femmes interprètent fautivement comme servant à les écarter et à les exclure.

Vous venez d'entendre les voix de 25 000 hommes qui ont tous répété la même chose au sujet de leurs relations professionnelles avec les femmes : ce qui les inquiète, ce qui les déconcerte et ce qui les laisse perplexes. Mais il ne s'agit pas de trouver qui a tort et qui a raison. Vous verrez bientôt pourquoi.

Si vous êtes une femme, après avoir lu ce chapitre, vous vous demandez sans doute : «Que puis-je faire maintenant ?» Poursuivez votre lecture. Pour l'instant, je vous laisse la parole. Et c'est au tour des hommes d'écouter.

5

Les doléances féminines

L'esprit, une fois qu'il a assimilé une nouvelle perception, ne retourne jamais en arrière.

O.W. Holmes, *The Poet and the Breakfast Table* (traduction libre)

Au début du chapitre précédant, présentant les doléances des hommes, j'incitais les femmes à éviter de porter un jugement trop rapide sur les hommes et à chercher à les comprendre. Lorsqu'elles écoutent attentivement les hommes, ce qu'elles entendent les surprend souvent.

Je fais une mise en garde similaire aux hommes. Essayez d'éviter d'argumenter avec les femmes. Lorsque les hommes entendent ce que vivent les femmes, ils ont tendance à considérer les faits comme des incidents isolés et à réagir en disant: «Ça ne s'est produit qu'une fois. Ça ne veut rien dire.» Ils protestent à chacune des remarques que font les femmes au lieu d'essayer de comprendre leur point de vue.

En fait, lorsque les femmes expriment leurs doléances, elles ne font pas état d'incidents individuels. J'ai souvent recours à l'expression «la torture de la goutte d'eau» pour illustrer ce que ressentent les femmes. Si elles se servent d'un incident en particulier comme exemple, c'est que l'accumulation d'incidents similaires a fini par les décourager. Chaque goutte (ou expérience) s'ajoute à une autre et finit par créer une situation intenable.

Disons que le patron d'une femme l'appelle «mon chou» ou «chérie». Ce n'est peut-être pas grave en soi, mais si ses collègues masculins reprennent aussi ce surnom durant des années, elle finira par être exaspérée. La presse donne parfois aux principales collègues de Tony Blair le surnom de «Blair Babes» («Les belles de Blair»). George W. Bush appelle ses principales collègues «My Moms» («Mes mamans»). Il est facile pour les hommes de s'élever contre les plaintes des femmes, mais celles-ci en ont entendu d'autres et elles en ont assez.

Je donne aux hommes le même conseil qu'aux femmes: n'essayez pas de trouver qui a tort et qui a raison. Résistez à la tentation de rejeter d'emblée les propos des personnes du sexe opposé. Laissez vos opinions et idées toutes faites de côté, ainsi que les jugements que vous vous êtes forgés à partir de certaines expériences, et cherchez ces «Ah! je comprends!» qui vous indiqueront que vous aurez appris quelque chose. J'ai entendu 25000 femmes exerçant les professions les plus diverses répéter, année après année, les mêmes choses et formuler les mêmes plaintes. Il doit bien y avoir du vrai dans ce qu'elles disent.

Finalement, rappelez-vous que vous avez maintenant la chance unique d'écouter, à leur insu, ce que les femmes disent lorsque vous n'êtes pas dans les parages. Vous allez prendre connaissance de ce que les femmes ressentent au travail. Profitez de l'occasion pour vous mettre à leur place.

Les 5 principales doléances des femmes

Lorsque je demande aux femmes de présenter les doléances qu'elles entretiennent à l'égard des hommes avec qui elles travaillent, il y en a toujours certaines qui lèvent la main et déclarent: «Il n'y a aucune différence entre les femmes et les hommes. Les problèmes que nous vivons au travail ne sont pas liés aux rapports entre les sexes.» Ou bien: «Ça n'a rien à voir avec la question des relations hommes-femmes; ce sont des questions de personnalité.» Curieusement, ce sont en général les plus jeunes qui s'expriment ainsi. Lorsque les plus âgées entendent ces remarques, elles hochent la tête en disant: «Vous ne travaillez pas encore depuis assez longtemps avec des hommes. Vous verrez.»

Sauf ces quelques exceptions, la plupart des femmes ont beaucoup à dire sur leurs rapports professionnels avec les hommes. On dirait qu'elles entretiennent ce genre d'idées depuis des années et n'ont jamais eu la chance de les exprimer. Il n'y a pas de silence dans la pièce où elles sont regroupées. Ce n'est pas l'unique différence avec ce qui se passe du côté des hommes. Alors que les hommes se mesurent les uns les autres afin de déterminer qui a tort et qui a raison, les femmes abordent cette séance de remue-méninges en faisant équipe. Elles transforment à tout coup cet exercice en travail de collaboration, partageant leurs expériences et progressant dans le processus. Lorsque des femmes commencent à s'exprimer, les autres approuvent en donnant leur point de vue; une liste finit par voir le jour. Il n'est pas inhabituel de voir les femmes aboutir à 10 ou 12 pages de doléances, alors que les hommes n'en remplissent que 1 ou 2.

Étonnamment, les femmes sont souvent déroutées de découvrir que d'autres femmes partagent leurs sentiments. Les femmes, qui parlent pourtant beaucoup des hommes avec qui elles travaillent, discutent en effet peu de leurs véritables sentiments à ce sujet. Il est facile pour elles de parler des hommes et de leur façon d'agir, mais il leur est plus difficile d'expliquer quels sentiments leur comportement fait naître. Si vous êtes une femme, pensez au nombre de fois où vous avez parlé des hommes à vos consœurs et vous verrez que j'ai probablement raison. Les femmes essaient rarement de savoir en quoi le comportement des hommes les affecte, surtout lorsqu'elles gravissent les échelons et doivent éviter de révéler certains problèmes auxquels elles font face.

Pourquoi tant de femmes gardent-elles leurs sentiments pour elles ? Étrangement, parce qu'elles ont le sentiment que la situation est de leur faute. Cela vient du fait que les femmes intériorisent les problèmes qu'elles vivent au travail. « Intérioriser » signifie chercher les réponses à un problème à partir de son propre comportement, et c'est ce que font constamment les femmes. Lorsqu'une femme a des problèmes au travail avec des hommes, elle dira aux autres femmes que c'est la faute de tel collègue en particulier, mais automatiquement elle se demandera si *elle-même* n'est pas en partie responsable du problème. Cette réaction est très subtile. La plupart des femmes ne s'en rendent même pas compte.

Lorsque certaines femmes en entendent d'autres exprimer exactement ce qu'elles ressentent depuis des années, leur visage s'éclaire. Le vôtre aussi sans doute! Beaucoup de femmes vivent depuis des dizaines d'années des problèmes de communication en se demandant: « Qu'est-ce qui ne va pas avec moi ? » Elles sont étonnées d'apprendre que d'autres femmes doivent affronter les mêmes problèmes au travail et ressentent les mêmes choses qu'elles.

Tout comme avec les hommes, mes ateliers fournissent souvent une première occasion aux femmes de parler ouvertement des relations hommes-femmes au travail. Voici ce qu'elles disent. Si vous êtes une femme, n'hésitez pas à cocher les doléances qui sont aussi les vôtres.

- ☐ Les femmes se sentent tenues à l'écart.
- ☐ Les femmes se sentent exclues.
- ☐ Les femmes ont l'impression d'être sur la sellette.
- ☐ Les femmes ont l'impression de devoir se comporter comme des hommes.
- ☐ Les femmes ont l'impression d'être considérées comme des « femmes-alibis ».

DOLÉANCE Nº 1 : Les femmes se sentent tenues à l'écart

Les femmes disent :

- « Les hommes ne cherchent pas à connaître mon opinion, ou alors ils n'en tiennent pas compte. »
- « Les hommes parlent beaucoup mais écoutent peu. »
- « Mon patron me traite comme si j'étais sa fille. »

Les femmes ont souvent l'impression que leurs propos n'ont pas le même poids que ceux de leurs collègues masculins. Plusieurs d'entre elles me racontent que, durant les réunions, leurs remarques ou leurs nouvelles idées sont souvent ignorées. Mais s'il arrive qu'un homme formule la même remarque plus tard, tout le monde l'écoute. « Les hommes semblent écouter seulement d'autres hommes, peu importe ce que nous disons », affirment les femmes. Lorsque certaines tentent d'examiner une question en profondeur en discutant de ses divers aspects, elles ont l'impression que les hommes bloquent leurs interventions et qu'elles sont tenues à l'écart.

Bien des femmes croient aussi que les vieux stéréotypes empêchent les hommes de les écouter. « Lorsque je présente mes idées ou que je rappelle à mes collègues masculins ce qui a été discuté précédemment, ils me disent que je suis harcelante », m'a expliqué une femme.

Les femmes disent:

- «Au cours des réunions, les hommes ne tiennent pas compte des remarques que nous faisons. Par contre, si un homme reprend plus ou moins la même idée, tout le monde le félicite. C'est comme si nous n'existions pas.»
- «Lorsque j'essaie de discuter de tous les aspects d'un problème, je ne perçois que des grognements de la part des hommes. On dirait qu'ils veulent s'en tenir à l'essentiel et passer le plus vite possible à autre chose.»
- «Lorsque j'aborde des questions délicates, personne ne m'écoute. Si je ramène une question sur le tapis, on m'accuse d'être harcelante. Et on explique tout en disant que je suis une femme. Avez-vous déjà entendu un gars dire d'un autre gars qu'il est harcelant? Il dira plutôt qu'il a du caractère.»
- «Le ton change lorsque nous entrons dans une pièce remplie d'hommes; leur comportement, leur langage corporel, leurs propos et leur état d'esprit se modifient.»

La réaction des hommes

Lorsqu'ils entendent les femmes dire qu'elles se sentent tenues à l'écart, les hommes tentent d'abord d'établir des correspondances entre ce que les femmes ressentent et leur propre expérience. Inévitablement, ils en arrivent à la conclusion suivante: «Moi aussi, j'ai l'impression qu'on me tient à l'écart. Et alors?» Ils poursuivent en général ce type de raisonnement en prenant un à un les exemples donnés et en demandant davantage de preuves.

Ce que les hommes doivent comprendre

Pendant que les hommes essaient d'évaluer si les plaintes des femmes sont fondées, il se passe habituellement quelque chose d'intéressant. Un des participants finit par avoir suffisamment de lucidité pour dire: «Écoutez, les gars. Regardez comment nous agissons. Nous ne laissons pas les femmes placer un mot parce que nous n'arrêtons pas de parler entre nous et d'argumenter sur tout ce qu'elles disent. *Nous les tenons vraiment à l'écart!*»

Les hommes saisissent alors ce qui se passe; c'est leur premier «Ah! je comprends!».

Maintenant que vous avez compris cette doléance, écoutez ce que les femmes ont à dire, même si vous avez l'impression qu'il s'agit d'une digression ; comprenez que leurs propos peuvent être pertinents. Si vous avez de la difficulté à suivre le fil de leur pensée, essayez de clarifier les choses en réfléchissant à ce que vous venez d'entendre.

Ce que les femmes doivent comprendre

Actuellement, les hommes ne sont pas les seuls à devoir se dire « Ah ! je comprends ! ». Bien des femmes se rendent compte que la crainte d'être tenues à l'écart les amène aussi à modifier leur comportement. Comme elles sont sur la défensive lorsqu'elles participent à une réunion, elles envoient inconsciemment aux hommes le message suivant : « Montrez-vous prudents. » Qu'arrive-t-il ensuite ? Les hommes réagissent à ce signal, sans même s'en rendre compte, en se repliant sur eux-mêmes et en devenant méfiants : voilà d'ailleurs l'une des principales doléances des hommes à l'égard des femmes avec qui ils travaillent. Les femmes doivent s'apercevoir que le comportement des hommes n'est pas mal intentionné et que ces derniers ne cherchent pas délibérément à les tenir à l'écart.

DOLÉANCE N° 2 :
Les femmes se sentent exclues

Les femmes disent :

- « J'ai toujours l'impression que la véritable réunion a lieu après la réunion, lorsque les hommes vont prendre un verre ensemble. »
- « Peu importe mes efforts, je ne réussis pas à entrer dans les véritables allées du pouvoir. »
- « Pour décrire leurs stratégies, les hommes ont recours à un vocabulaire sportif ou militaire. Comme je suis incapable d'utiliser ce type de comparaison, j'ai l'impression que je ne peux faire entendre mon point de vue. »

Que je parle avec des avocates, des comptables, des policières ou des vendeuses, la plupart ont déjà vécu ce genre de scénario et éprouvé plus ou moins le même sentiment. Imaginons qu'une femme arrive à une table où sont réunis quelques hommes, probablement en train de parler de sport. Elle tente de participer à la conversation et lance même quelques blagues, mais les hommes ne font que lui jeter un coup d'œil de temps en temps tout en poursuivant leur conversation. La femme a alors l'impression que les hommes l'ignorent délibérément. Les femmes ont déjà l'impression qu'elles doivent se battre pour être membres de l'équipe, et la froideur dont elles font l'objet leur confirme que, peu importe leurs efforts, les hommes continueront de les exclure, simplement parce qu'elles sont des femmes.

La fameuse «véritable réunion après la réunion» sert aussi à éloigner les travailleuses. Les hommes vont souvent prendre une bière ensemble après le travail; par oubli ou en se disant que cette sortie n'intéressera pas leurs collègues féminins, ils ne les invitent pas. Comment se sentent-elles alors? Elles ont l'impression que les véritables réunions se tiennent sans elles. Elles se disent qu'on les écarte délibérément du processus de décision.

En revanche, si une femme est invitée à la rencontre, une dynamique précise s'installe. Lorsqu'elle arrive, les hommes sont en train de discuter football ou golf. Peu importe si ce sujet l'intéresse ou non. Les hommes ont du plaisir, se taquinent, se chamaillent un peu et ainsi de suite. Les femmes ressentent ce lien qui unit les hommes. Elles ne veulent pas nécessairement entrer dans leurs «conversations de gars», mais elles se sentent tout de même exclues.

Les femmes disent que:

- Elles ne savent jamais comment s'intégrer au groupe.
- Elles ne sont jamais «invitées avec les gars», ou se font dire: «Crois-moi, ça ne t'intéresserait pas de venir.»
- Leurs collègues masculins «se réunissent dans le bureau d'un des gars avec le patron». Les femmes ont l'impression qu'il est naturel pour eux d'agir ainsi, et elles se sentent exclues.
- Certains hommes fréquentent même des clubs exclusivement masculins (même si genre d'endroit se fait de plus en plus rare). Les femmes comprennent donc que les hommes sont contents de pouvoir encore les exclure.

La réaction des hommes

Les hommes réagissent tout d'abord en disant qu'eux aussi se sentent parfois exclus. Ce qu'ils ne comprennent pas, c'est que les femmes se sentent exclues *parce qu'elles sont des femmes*. Mes collègues masculins profitent alors souvent de cette occasion pour entrer dans la discussion et expliquer le point de vue des femmes. Voici ce qu'ils disent :

« Messieurs, pensez à ce que vous avez pu ressentir lorsque vous avez été tenu à l'écart d'une décision ; imaginez maintenant que cela vous arrive jour après jour au travail. Imaginez que vous le sentiez dès que vous entrez dans la salle de conférences. Imaginez que cette situation se répète chaque jour. En dépit de vos compétences, on ne vous invite jamais aux réunions importantes ! Bien des femmes vivent continuellement ce genre de situation. »

Ce que les hommes doivent comprendre

En général, les hommes comprennent la situation lorsqu'un autre homme la leur explique ainsi. Il arrive qu'un homme d'une minorité visible ajoute alors : « Je comprends ce sentiment. » Les hommes commencent à se rendre compte que les femmes ne parlent pas de cas particuliers mais d'un modèle qui se répète continuellement : la torture de la goutte d'eau. Toutes les femmes la subissent, alors que ce n'est pas le cas des hommes, parce qu'ils sont des hommes.

Les hommes doivent donc comprendre qu'il s'agit d'une expérience de « torture de la goutte d'eau » et veiller à reconnaître les talents et compétences des femmes en les faisant véritablement participer aux réunions avec les clients. Voilà le moyen d'éliminer cette doléance.

Ce que les femmes doivent comprendre

Encore une fois, lorsque les femmes entendent les réactions des hommes, elles commencent à faire le lien avec leur façon d'agir. La crainte de se sentir exclues, tout comme la crainte d'être tenues à l'écart, oblige les femmes à se mettre sur la défensive. La plupart du temps, elles ne s'en rendent même pas compte. Elles sont tellement habituées à se sentir exclues qu'elles l'oublient ! Mais lorsque, en assistant à mes ateliers, elles voient ce sentiment refaire surface, elles se rendent compte qu'il modifie leur comportement. La crainte d'être exclues oblige les femmes à être plus agressives et plus véhémentes qu'elles ne le seraient normalement.

Les hommes perçoivent ce signal. Ils ne le comprennent pas nécessairement, mais ils y réagissent. Comment ? En se repliant sur eux-mêmes ; en faisant preuve de méfiance et de prudence. Cette réaction a pour effet de renforcer chez les femmes le sentiment d'être exclues.

Pour régler le problème, les femmes doivent davantage se faire entendre. Elles doivent trouver des moyens de participer, d'être proactives. Elles doivent s'inviter elles-mêmes. Si vous êtes un homme, rappelez-vous que les femmes *veulent* être invitées à participer.

Doléance n° 3 : Les femmes ont l'impression d'être sur la sellette

Les femmes disent :

- « J'ai l'impression que mes clients, et parfois mes collègues, pensent que les femmes n'ont tout simplement pas ce qu'il faut. »
- « Je pense que les femmes sont plus épiées que les hommes, même par les autres femmes ! »
- « J'ai l'impression qu'on me questionne plus que les hommes avec qui je travaille pour vérifier mes connaissances techniques. On tient pour acquis que les hommes savent de quoi ils parlent, mais pas les femmes. »

Nombre de femmes croient que, pour faire leurs preuves, elles doivent travailler plus fort que leurs collègues masculins. « Je ne réussis à prouver mes compétences que par des réalisations hors du commun ou en étant incontestablement bonne », me disent-elles. Elles ont constamment l'impression que leurs collègues masculins les mettent à l'épreuve, doutent de leurs capacités. Elles ont le sentiment qu'elles sont soumises à des normes différentes.

Les femmes ont souvent l'impression qu'on suppose qu'elles sont inférieures. Ce sentiment ébranle leur confiance en elles. Elles sentent que tout ce qu'elles font, même leur façon de s'habiller ou de se présenter, risque de miner leur crédibilité. Certaines affirment qu'elles ne porteraient jamais de vêtements sport le vendredi parce qu'elles craindraient alors de n'être pas prises au sérieux. Dans les domaines où les aptitudes techniques sont un atout, beaucoup de femmes ont l'impression que leurs pairs et leurs clients doutent de leurs compétences. Plus il s'agit d'un secteur à prédominance masculine, plus les femmes ont l'impression qu'elles doivent obtenir des résultats supérieurs aux hommes pour jouir du même respect.

Les femmes disent :

- « Les hommes obtiennent des promotions en raison de leur potentiel ; les femmes doivent d'abord montrer qu'elles ont accompli certaines choses avant d'obtenir les mêmes promotions. »
- « On suppose tout le temps que nous sommes moins compétentes ou que nous avons moins d'aptitudes techniques que les hommes occupant un poste similaire au nôtre. »
- « Il y a toujours une question implicite : "Sait-elle de quoi elle parle ?" »
- « La crédibilité des hommes est acquise, alors que les femmes doivent la gagner. On dirait que le point de départ est différent. »

La réaction des hommes

Lorsque les hommes entendent les femmes tenir ce genre de propos, beaucoup confessent qu'elles ont raison. Ils avouent qu'ils font davantage confiance à un homme, surtout s'ils sont en présence d'une personne qu'ils ne connaissent pas. Les hommes admettent aussi qu'ils se retrouvent face à un véritable dilemme lorsque leurs *clients* ne veulent pas travailler avec des femmes. « Que dois-je faire ? Leur envoyer tout de même une femme et risquer de les perdre ? » demandent-ils, sur la défensive. Mais ils savent aussi que bien des femmes risquent de leur reprocher de ne pas les appuyer : « Vous devriez prendre notre parti ! »

Les hommes réagissent souvent en utilisant un argument inéluctable : l'argent. « Si ce client nous rapporte des millions, ne vaut-il pas mieux ne pas prendre de risques et lui envoyer un homme ? »

Ce type de raisonnement ne fait que remuer le couteau dans la plaie. Cette question est particulièrement délicate dans les entreprises et organisations où la présence des femmes est assez faible : les forces policières et armées, les secteurs d'activité traditionnels et même les services de contentieux. Elle éveille encore chez les hommes la crainte d'être blâmés. Ils ont de la difficulté à voir la situation objectivement. Heureusement, il y a aussi des hommes qui sortent des sentiers battus pour affirmer : « Lorsque vous faites en sorte de recommander que le travail soit fait par une femme, ça fonctionne. »

Ce que les hommes doivent comprendre

Comme les femmes ont tendance à croire qu'elles sont sur la sellette au travail, elles se disent qu'elles doivent travailler plus fort, fournir un meilleur rendement et en faire plus que leurs collègues masculins pour obtenir la même reconnaissance. Les hommes remarquent ce comportement mais en tirent de mauvaises conclusions. Ils croient que les femmes manquent de confiance en elles et qu'elles veulent trouver des moyens de faire leurs preuves. Les femmes ne manquent pas vraiment de confiance en elles. Elles ont plutôt l'impression d´être éternellement en période d'essai. Elles sentent qu'elles ont toujours quelque chose à prouver.

Ce n'est pas tout. Les femmes perçoivent le fait que les hommes trouvent qu'elles manquent de confiance en elles, ce qui ne fait qu´alimenter leur impression d'être sur la sellette.

Ce que les femmes doivent comprendre

Les femmes peuvent éviter ce cercle vicieux en établissant dès le départ leur crédibilité. N'attendez pas qu'on mette en doute vos capacités. Vous n'avez pas à adopter des comportements qui ne vous sont pas naturels, comme essayer d'intimider les autres ou prendre une voix forte. Présentez-vous d'une façon directe, expliquez qui vous êtes, quel est votre travail et vos compétences.

Les femmes ont besoin de se montrer plus sûres d'elles, d'être plus convaincantes; il peut parfois être nécessaire de suivre une formation pour y parvenir. Les femmes doivent se montrer plus positives, plus pragmatiques et plus persuasives.

Doléance nº 4 :
Les femmes ont l'impression de devoir se comporter comme des hommes

Les femmes disent :

- « Si je veux être prise au sérieux, je dois me montrer plus énergique et plus agressive. Je ne peux rester moi-même. »
- « Je n'aime pas avoir l'air aussi dure et autoritaire. Mais ça marche ! »
- « Il m'arrive de me dire que les membres de ma famille ne me reconnaîtraient pas s'ils me voyaient au travail. »

Lorsqu'une femme travaille depuis, disons, une dizaine d'années en ayant toujours l'impression d'être ignorée, tenue à l'écart et exclue, son comportement se modifie. Beaucoup de femmes disent: «Tu finis par devenir plus intransigeante et plus dure, et tu en viens même à lancer des blagues sexistes.» Mais ce comportement a des conséquences. La personne réussit sans doute à tenir ses collègues en respect, mais personne n'aime travailler avec elle. On la surnomme la «femme dragon» ou la «dame de fer». Sans s'en rendre compte, elle se transforme en un membre du «troisième sexe»: une femme qui se comporte comme un homme.

La plupart des femmes qui me parlent de ce phénomène ont compris trop tard ce qui se passait. «J'essayais simplement de me faire respecter», disent-elles. Mais comme chaque trait de leur féminité semblait nuire à leur crédibilité, beaucoup ont fini par se donner une nouvelle personnalité au travail. Elles sont en état de choc lorsqu'elles découvrent ce qui leur est arrivé. «J'ai peiné pour gravir un à un tous les échelons. J'ai essayé de faire mon travail de manière honnête et sérieuse, et maintenant on me traite de barracuda», m'a confié une cadre supérieure.

La réaction des hommes

Lorsqu'une femme adopte un comportement associé au «troisième sexe», les hommes s'en tiennent le plus loin possible. Ils ont en général besoin qu'un autre homme leur explique pourquoi certaines femmes agissent ainsi. Voici comment un de mes collaborateurs leur présente les choses: «Imaginez que vous deviez porter chaque jour une armure au travail. Imaginez que vous deviez constamment agir comme si vous étiez quelqu'un d'autre, simplement pour avoir l'impression d'être pris au sérieux.»

Certaines femmes avouent que leur comportement a tellement changé, et ce, depuis tellement longtemps, qu'elles ne sont pas certaines qu'elles pourraient revenir en arrière. Certaines ne le veulent même pas. Pourquoi? Parce que ce comportement leur réussit. Même s'il rend les hommes mal à l'aise, il est synonyme de succès.

Lorsqu'ils entendent ce genre de propos, bien des hommes se rappellent avoir entendu leur femme parler au téléphone à un collègue ou à un client sur un ton plutôt curieux. Sa «personnalité professionnelle» surgissait alors.

Ce que les hommes doivent comprendre

Ils doivent se rendre compte que les femmes ne choisissent pas vraiment de devenir membres d'un «troisième sexe»; elles ont le sentiment de ne pas avoir le choix. Les femmes qui deviennent des «femmes dragons» le deviennent pour des raisons tout à fait légitimes à leurs yeux.

Ce que les femmes doivent comprendre

Ce phénomène a des conséquences indésirables. Il semble donner de bons résultats au travail, mais en réalité voir les femmes se comporter comme si elles étaient membres d'un «troisième sexe» déconcerte encore plus les hommes. Ils se sentent alors blâmés, se replient sur eux-mêmes et se montrent méfiants, de sorte que les femmes ont l'impression qu'elles doivent demeurer des «femmes dragons» pour se faire respecter. Les femmes doivent voir les conséquences de ce type de comportement – les conséquences pour elles-mêmes et pour tout leur entourage. La meilleure façon de gagner le respect de ses collègues consiste à exercer une influence positive sur eux et non à les dominer.

DOLÉANCE Nº 5:
Les femmes ont l'impression d'être considérées comme des «femmes-alibis»

Les femmes disent:

- «Les hommes croient que j'ai obtenu ce poste parce que je suis une femme. C'est tellement insultant et humiliant d'avoir à se justifier!»
- «Je ne voulais rien savoir des politiques d'action positive. Je ne voulais que le poste que j'ai obtenu!»
- «J'ai l'impression de payer pour avoir obtenu cette promotion. Je me sens continuellement épiée.»

Les femmes ont tendance à considérer le monde du travail comme un lieu où elles sont perdantes. Lorsqu'elles obtiennent un emploi, elles sentent que les hommes doutent de leurs compétences. Les programmes mis en place pour favoriser l'emploi des femmes aggravent le problème, puisque les hommes ont le sentiment que le respect des quotas, et non les compétences, est le principal facteur d'embauche. Les femmes font les remarques suivantes: «Si j'obtiens un poste ou une promotion, l'impression persiste que c'est parce que je suis une femme et non parce que je mérite le poste ou la promotion.» Celles qui réussissent ont l'impression d'être scrutées à la loupe. Elles se disent que, si elles font des erreurs, on les attribuera au fait qu'elles sont des femmes. Elles ont l'impression de porter le poids du monde sur leurs épaules.

La réaction des hommes

Lorsque les femmes discutent de ce qu'elles éprouvent en étant considérées comme des «alibis», les hommes réagissent habituellement en disant: «Oui, mais nous sommes victimes de discrimination à rebours; alors, nous sommes à égalité.» Mais un autre aspect s'ajoute à cette doléance des femmes. Si les hommes ne s'en rendent pas compte, je les encourage à revoir l'une de leurs doléances. La réaction des hommes à la situation des «femmes-alibis» crée un écart encore plus grand entre les hommes et les femmes et rend la vie au travail encore plus difficile.

Ce que les hommes doivent comprendre

Bien que la première réaction des hommes est de se mettre sur la défensive, ils doivent finir par comprendre que les politiques de discrimination positive ne constituent pas une panacée pour les femmes. En fait, ces politiques leur donnent plutôt l'impression d'être sur la sellette. Leur réaction ? Elles sentent qu'elles doivent travailler encore plus fort. Elles essaient de prouver aux hommes qu'ils ont tort même si ceux-ci ne les ont accusées de rien.

Les hommes affirment souvent que les femmes avec qui ils travaillent en font trop, travaillent trop et sont trop perfectionnistes. Ils savent maintenant pourquoi elles agissent ainsi. Ce n'est pas par manque de confiance mais parce qu'elles se sentent épiées.

Les hommes peuvent enfin dire: «Ah! je comprends!».

Ce que les femmes doivent comprendre

Les femmes peuvent difficilement s'épanouir au travail si elles craignent d'avoir obtenu leur emploi uniquement en raison des politiques d'égalité. La situation est bien peu stimulante pour elles et renforce leur sentiment de devoir faire leurs preuves. Nous avons déjà expliqué les conséquences de cette situation. Lorsqu'elles ont l'impression d'être considérées comme des « alibis », les femmes se mettent sur la défensive et tentent de compenser en travaillant davantage. Parfois, elles deviennent même plus agressives. Malheureusement, les hommes croient que les femmes agissent ainsi par manque de confiance.

Mon conseil aux femmes ? Ne vous laissez pas prendre au jeu. Développez un réseau de soutien autour de vous. Ne tentez pas de porter seule ce fardeau.

Pour une fois, vous avez eu la chance extraordinaire de vous mettre à la place des personnes du sexe opposé. Vous avez entendu ce qu'elles ont à dire de leurs relations professionnelles et vous avez constaté comment votre propre comportement peut alimenter leurs doléances.

Vous voilà maintenant prêt à apprendre comment améliorer la situation. Dans les trois prochains chapitres, vous verrez en quoi le langage des hommes et des femmes diffère l'un de l'autre, comment il se fait qu'ils ne comprennent pas les mêmes choses et ne voient pas le monde de la même façon. Vous verrez ce que vous pouvez faire pour réduire le fossé qui les sépare.

6

Les mêmes mots, un langage différent

Nos styles, dans la conversation, diffèrent. Si l'on cherche non seulement à s'exprimer mais à communiquer, alors il ne suffit pas d'utiliser le bon langage ; on doit se faire comprendre.

Deborah Tannen, *You Just Don't Understand* (traduction libre)

Les hommes et les femmes pensent différemment, traitent l'information différemment. Mais nous parlons le même langage, non ? Alors parlons-nous et les problèmes seront réglés !

En fait, cette solution n'en est pas une, du moins pas complètement. Parfois, se parler fait partie du problème. Les hommes et les femmes communiquent différemment. Même lorsque nous utilisons les mêmes mots, nous ne voulons pas nécessairement dire la même chose. Nous le sentons souvent intuitivement, mais sans trop nous y attarder. Nous répétons sans cesse les mêmes trucs en supposant que notre interlocuteur interprète les choses de la même façon que nous. Nous écoutons l'autre à partir de notre propre cadre de référence. Nous avons vu à quels genres d'interprétations fautives cela mène.

Il faut être sensibilisé aux différences entre les sexes pour se rendre compte que le langage fait partie du problème. Pourquoi donc ? Lorsque nous communiquons, nous supposons que notre interlocuteur veut dire et comprend les mêmes choses que nous. Nous évaluons sa réaction à partir de ce point de vue. Nous interprétons à notre façon ce qu'il dit et fait. Nous ne nous arrêtons pas un seul instant pour nous demander s'il est possible que les hommes et les femmes ne voient pas les choses du même œil. Nous tirons des conclusions hâtives ou, pire encore, nous passons tout à fait à côté du message.

Très tôt dans la vie, j'ai appris à quel point les gens peuvent penser différemment et quelles sortes d'erreurs je pouvais commettre en supposant que tout le monde pensait comme moi. Je me suis mariée jeune et j'ai quitté mon pays natal, le Danemark, pour aller vivre en Italie. Je ne me doutais pas de ce qui m'attendait! À Copenhague, j'avais grandi entourée de gens calmes, polis et réservés. Les Danois ont à cœur de n'offenser personne, de respecter les lois et de ne pas monopoliser la conversation. Ils ont un sens très développé de ce qui se fait et ne se fait pas, et croient aux bonnes manières.

Imaginez ce que j'ai ressenti en arrivant à Rome. Je me disais:

- Pourquoi les Italiens sont-ils toujours en colère?
- Ils se disputent continuellement!
- Ils ont toujours le nez fourré dans les affaires des autres! Sont-ils incapables de me foutre la paix?

Il n'est pas difficile de comprendre mon erreur. J'analysais le comportement des Italiens selon mon cadre de référence. Pour les Danois, un ton de voix élevé est associé à la colère, la dispute mène à la rupture, et il faut éviter de faire du bruit. Mais ce n'est pas le cas pour les Italiens. J'étais complètement dans l'erreur! J'ai fini par mieux connaître la culture italienne et par maîtriser la langue; ma perspective a alors changé et j'ai commencé à voir les Italiens selon leur propre cadre de référence. Après trois mois en Italie, j'ai mis mes idées toutes faites de côté et ma façon de penser a changé. Je me suis rendu compte que les Italiens:

- ne sont pas en colère; ils sont passionnés!
- ne se disputent pas; ils adorent parler et discuter.
- ne se mêlent pas des affaires des autres. Ils s'intéressent aux problèmes des autres parce qu'ils se soucient d'eux et créent ainsi des liens.

Selon moi, les hommes et les femmes s'en tireraient mieux s'ils ne parlaient pas la même langue! Nous ne tiendrions alors peut-être pas autant de choses pour acquises. Nous prêterions davantage attention à notre façon de formuler nos messages et aux interprétations qui en découlent. Nous tenterions de nous mettre à la place de nos interlocuteurs et nous essaierions de comprendre leur point de vue. Nous prendrions un moment pour nous dire que tel geste ou tel argument n'a pas le même sens pour les hommes et pour les femmes. Nous ferions des efforts pour nous assurer que nous sommes compris.

Les hommes et les femmes sont-ils à ce point des étrangers les uns pour les autres ? Les participants à mes ateliers concluent inévitablement que oui après avoir fait l'exercice suivant. Je leur fournis une liste d'expressions et de mots très communs et leur demande d'écrire ce que ces termes signifient pour eux.

Comme vous le verrez, les hommes et les femmes attribuent un sens différent à ces expressions courantes. Imaginez la confusion et la frustration engendrées… Et non seulement les hommes et les femmes ne comprennent pas de la même façon certains mots courants, mais ils tirent leurs propres conclusions des réactions qu'ont les personnes du sexe opposé. Heureusement, il y a des solutions.

Avant d'aller plus loin, je vous propose de faire vous-même l'exercice que je viens d'évoquer.

Exercice : Qu'est-ce que ça veut dire ?

Si vous êtes un homme, remplissez la section « LUI » ; si vous êtes une femme, remplissez la section « ELLE ». Si vous vous croyez capable de vous mettre dans la peau d'une personne du sexe opposé, je vous propose de remplir la section qui lui est destinée.

La façon d'écouter des hommes et des femmes

Oui

LUI Ce que je veux dire quand je dis « oui » :

____

____

ELLE Ce que je veux dire quand je dis «oui»:

____

____

Qu'en penses-tu?

LUI On me demande de:

____

____

ELLE On me demande de:

____

____

À quoi sert le travail d'équipe?

LUI Je travaille en équipe pour:

____

____

ELLE Je travaille en équipe pour:

____

____

Comment vous y prenez-vous pour soumettre une idée?

LUI Je dis:

____

____

ELLE Je dis:

____

____

Comment défendez-vous votre point de vue dans une discussion ?

LUI J'adopte l'approche suivante :

____

____

ELLE J'adopte l'approche suivante :

____

____

À quoi mesure-t-on le succès au travail ?

LUI Je connais du succès lorsque :

____

____

ELLE Je connais du succès lorsque :

____

____

Comment vous y prenez-vous pour bien écouter ?

LUI J'adopte l'approche suivante :

____

____

ELLE J'adopte l'approche suivante :

____

____

La meilleure façon d'être convaincant.

LUI J'adopte l'approche suivante :

____

____

ELLE J'adopte l'approche suivante:

____

____

Maintenant que vous avez fait cet exercice, vous pouvez comparer vos réponses à celles de milliers d'hommes et de femmes. Lorsque vous aurez constaté à quel point l'interprétation des uns et des autres peut être divergente, vous comprendrez de quelle façon ces différences mènent à des malentendus et apprendrez à les éviter.

«Oui»

Ce que les hommes veulent dire:

«Je suis d'accord. Un point c'est tout. Passons à autre chose.»

Ce que les femmes veulent dire:

«Je t'écoute. Je te suis. Je suis ouverte à la discussion.»

Le malentendu

Pour les hommes, «oui» marque une fin. Cette réponse signifie qu'il n'y a plus rien à ajouter. Pour les femmes, au contraire, le mot «oui» est un début. Loin d'être définitif, il signifie qu'il se passe quelque chose. Ce mot est associé à un *processus* et non à une *réponse*.

Imaginez le nombre de problèmes que peut engendrer ce simple mot, pourtant essentiel à la communication! Imaginez ce qui se passe lorsque les hommes entendent les femmes dire «oui», lorsqu'ils supposent qu'elles veulent dire la même chose qu'eux pour ensuite se rendre compte que leurs réactions ne vont pas dans ce sens. «On ne peut jamais savoir si une femme veut vraiment dire oui quand elle dit oui», disent les hommes.

Imaginez aussi ce que ressentent les femmes qui entendent un homme dire «oui». Elles interprètent cette approbation comme une invitation à poursuivre la discussion en cours, mais découvrent rapidement que le sujet est clos. En plus d'entraîner confusion et frustration, ces malentendus ont d'autres conséquences, plus graves : ils finissent par renforcer les idées toutes faites qu'entretiennent les hommes à l'égard des femmes, et vice versa.

Voici un exemple dont m'a fait part un homme : « Je me préparais pour une réunion en discutant avec une collègue d'une idée qu'elle avait déjà approuvée. Mais au cours de la réunion, elle a changé son fusil d'épaule et a commencé à proposer des changements. » Il s'est senti attaqué et a eu l'impression de s'être fait prendre dans une embuscade. « Je n'en revenais pas ! Et moi qui croyais qu'elle m'appuyait ! » a-t-il ajouté. Que concluent les hommes de ces malentendus ? Que les femmes ne sont pas franches et qu'ils ne peuvent jamais vraiment savoir ce qu'elles veulent dire. Comment réagissent-ils alors ? En se montrant encore plus prudents. Vous vous rappelez sans doute que c'est la principale doléance des hommes qui travaillent avec des femmes ; je viens de vous expliquer son origine. Il s'agit d'un malentendu fondé sur les différences entre les sexes.

Lorsqu'un homme met fin à une discussion en disant « oui », alors qu'une femme pense qu'elle ne faisait que débuter, la femme se sent tenue à l'écart. Les femmes ont aussi ce sentiment lorsque les hommes sont sur leurs gardes. « Les hommes n'écoutent pas vraiment. Ils nous évitent et nous tiennent à l'écart », affirment-elles.

Un facteur culturel amplifie aussi ce problème. En général, on apprend aux femmes à se montrer polies. Une des façons d'y parvenir consiste à éviter de dire un non catégorique à un interlocuteur. Je me souviens d'une période de ma vie où, en tant que cadre dans le domaine des ventes, j'ai essayé de me défaire de cette habitude. Comme bien des femmes, j'ai tendance à éviter de dire un non catégorique et à essayer de justifier une réaction négative par toutes sortes d'explications. Mais j'ai fini par me rendre compte que ce comportement était un handicap sur le plan professionnel. On ne me trouvait pas assez résolue. Je me suis donc mise à dire « non » sans ajouter d'explications.

Bien sûr, ça n'a pas fonctionné. Alors je n'ai plus essayé de changer. Pourquoi le ferais-je ? Il est inutile pour une femme de changer son style, tout comme il est inutile pour un homme de changer son style. Que faut-il faire alors ?

La solution

La solution consiste à comprendre ce que la personne du sexe opposé veut dire lorsqu'elle répond «oui» et à prévoir les malentendus qui peuvent en résulter. Je vous propose une technique toute simple que j'appellerai «structurer et vérifier».

Pour les hommes

Vérifiez le sens du «oui» qu'on vous répond. S'agit-il d'un oui final ou d'un «oui, je te suis, mais continuons d'explorer la question»? Expliquez aux femmes quel type de «oui» vous attendez. SI vous leur dites que vous avez besoin d'une réponse définitive et que vous ne voulez pas poursuivre la discussion, elles ne se sentiront pas tenues à l'écart.

Pour les femmes

Structurez votre réponse. Étoffez votre oui avec un peu d'information afin que les hommes sachent quel type de «oui» vous formulez. Dites «oui, je t'écoute» ou «oui, je vois où tu veux en venir, mais j'aimerais continuer de discuter de ce point».

«Qu'en penses-tu ?»

Ce que les hommes comprennent:

Les hommes interprètent cette question comme un appel à l'action. Ils ont l'impression qu'ils doivent prendre position, formuler une affirmation ou prendre une décision. Leur réponse a donc tendance à être définitive. Ils donnent le résultat de leur réflexion.

Ce que les femmes comprennent:

Les femmes comprennent cette question comme une invitation à discuter, à exprimer leurs pensées, leurs sentiments sur un sujet ou un enjeu. Pour elles, il ne s'agit pas d'une avenue à sens unique. Lorsqu'une personne demande à une femme «qu'en penses-tu?», cette dernière entend «discutons de cette question». Les femmes tentent ainsi de mettre leurs idées en commun. Pour elles, il est souvent moins important de formuler une opinion que de poursuivre la discussion. Tout le processus compte. Les femmes laissent la discussion se poursuivre jusqu'à ce qu'elles trouvent le meilleur moment pour exprimer leurs idées sur le sujet.

Le malentendu

Dans ce cas, les risques d'interprétation erronée sont grands. Lorsque les femmes réagissent à cette question en début de discussion, les hommes ont tendance à penser: «Elle n'a pas fait ses devoirs» ou «Elle n'a pas bien réfléchi à la question». Ils se disent alors: «Ne me fais pas perdre mon temps! Donne-moi simplement le résultat de ta réflexion.» Les hommes considèrent l'indécision des femmes comme un manque de confiance.

Lorsqu'un homme répond à la question «qu'en penses-tu?» par une réponse catégorique et passe sans tarder au point suivant, son interlocutrice se sent exclue. Elle se dit: «Je ne veux pas connaître ta décision. Je veux savoir ce que tu penses.» Les femmes ont souvent l'impression que les hommes sont froids et distants ou bien qu'ils les tiennent à l'écart lorsqu'ils leur répondent de manière catégorique. Comme me l'a déjà dit une femme: «On dirait que les hommes me croient incapable de me décider. Lorsque je leur demande leur opinion, ils arrivent avec des réponses et des solutions. Je ne leur demande pourtant pas de résoudre les problèmes à ma place!»

En mettant leurs idées en commun et en demandant aux autres de formuler leurs commentaires, les femmes cherchent à se montrer consciencieuses. Elles ont ainsi le sentiment de bien faire leur travail. Bien des femmes craignent instinctivement de négliger certains points si elles en viennent trop vite aux conclusions. Au contraire, la plupart des hommes veulent s'entendre rapidement sur des solutions et les mettre en application. Ils ne veulent pas perdre de temps avec les détails, qui les empêchent de parvenir à leur but.

Beaucoup de femmes croient aussi que les individus travaillent mieux ensemble s'ils entretiennent de bonnes relations. En demandant l'opinion d'une tierce personne, elles cherchent tout autant à établir des liens qu'à obtenir une réponse. Les femmes se sentent blessées lorsque les hommes leur donnent l'impression de les tenir à l'écart et de ne pas chercher à cultiver une relation.

La solution

Pour les hommes

Lorsqu'une femme vous demande «qu'en penses-tu?», vérifiez si elle cherche à explorer davantage un sujet ou si elle attend une réponse définitive. À votre tour, lorsque vous posez cette question à une femme, structurez-la en demandant: «Quelle est ton opinion sur ce sujet? Penses-tu que c'est une bonne ou une mauvaise chose?»

Pour les femmes

Si vous voulez vraiment savoir ce que ressent un homme sur un sujet donné, il faut que vous posiez la question clairement. Avant de demander «qu'en penses-tu?», commencez par dire: «J'aimerais vraiment savoir ce que tu ressens» ou «Je cherche différentes idées. J'aimerais vraiment que nous examinions ce problème en profondeur et que nous explorions différentes solutions.»

«À quoi sert le travail d'équipe?»

Ce que les hommes comprennent:

Pour les hommes, les équipes sont un moyen de parvenir à une fin. L'équipe a pour but d'accomplir un travail. Si les hommes croient pouvoir effectuer une tâche seuls, ils ne se soucieront pas de mettre une équipe sur pied.

Ce que les femmes comprennent:

Pour les femmes, les équipes ne sont pas seulement un moyen d'aboutir à un résultat précis. Les équipes offrent d'autres possibilités. Par exemple, celle de bâtir des relations qui serviront de soutien à long terme pour d'autres projets. Les femmes ne tiennent pas nécessairement à conserver une équipe une fois le travail terminé, mais elles espèrent que les relations qui se sont tissées entre ses membres vont subsister.

Le malentendu

Comme les hommes ne forment des équipes que dans un but précis, ils ont tendance à considérer l'existence de celles-ci comme temporaire et limitée. Par contre, puisque les femmes considèrent le travail d'équipe comme une fin en soi, elles s'engagent, en l'amorçant, dans un processus continu et à long terme.

Les malentendus entre les hommes et les femmes sont bien sûr prévisibles. Les hommes ont tendance à dissoudre l'équipe lorsque le travail est terminé, tandis que les femmes espèrent qu'elle servira de base à une collaboration ultérieure. «Nous avons une formule gagnante, disent les femmes. Nous avons entrepris quelque chose ensemble. Pourquoi devrions-nous y mettre fin simplement parce que le travail est terminé ? »

Les hommes considèrent en général que tisser des liens est une perte de temps. « Nous manquons déjà de temps. Occupons-nous simplement du travail en cours », disent-ils. Mais les femmes croient que l'équipe sera plus efficace s'il existe des liens entre les membres. Sans s'en rendre compte, les hommes peuvent donc donner aux femmes l'impression que leur travail ne compte pas, qu'il n'est pas apprécié.

La solution

Pour les hommes et les femmes

Toutes les organisations ont intérêt à reconnaître que les hommes et les femmes possèdent des forces distinctes lorsqu'ils travaillent en équipe et à apprendre à se servir des forces de chacun.

Les équipes sont plus efficaces lorsque les membres tissent des liens entre eux et sentent qu'ils visent un but commun. Ces liens peuvent constituer une ressource utile, même après que l'équipe a atteint son objectif.

Les femmes doivent savoir apprécier l'approche linéaire et centrée sur l'objectif préconisée par les hommes, tandis que ceux-ci doivent apprécier la capacité qu'ont les femmes à établir des relations durables. Une fois ces qualités réunies, on se retrouve avec une équipe gagnante.

« Comment vous y prenez-vous pour soumettre une idée ? »

Ce que font les hommes :

Ils présentent leur idée en expliquant clairement leur plan. (Selon moi !)

Ce que font les femmes :

Elles présentent leur idée avec comme objectif d'aller chercher des suggestions et des commentaires, et non pas uniquement dans le but d'expliquer un plan. Les femmes considèrent cette démarche comme une façon d'établir le dialogue.

Le malentendu

Quand elles expliquent qu'elles se sentent tenues à l'écart, beaucoup de femmes décrivent le scénario suivant: «Je présente une idée, et tout le monde m'ignore; si un homme présente ensuite la même idée, alors tout le monde l'approuve!» Voilà une situation classique. Les femmes pensent que l'objectif est d'établir un dialogue. Elles essaient d'obtenir les opinions de chacun et d'encourager la collaboration. Mais les hommes associent cette façon de faire à de l'indécision, à une mauvaise préparation ou à un manque de persuasion. Ils en viennent donc à restructurer l'idée présentée par une femme pour éclaircir son propos et faire accepter sa proposition.

Dans ce genre de situation, les femmes se sentent contrariées et les hommes, déconcertés. Voici l'explication que m'a déjà donnée un homme: «Une de mes collègues ne semblait pas convaincue de la pertinence de l'idée qu'elle avait soumise durant une réunion. Je trouvais son idée formidable. Je l'ai reformulée en signe d'appui. Elle a réagi en disant que je lui avais volé son idée! Je n'y comprends rien...»

La volonté des femmes d'inclure tout le monde est perçue comme de l'hésitation par les hommes, qui en concluent que les femmes manquent de confiance en elles. Lorsque les hommes présentent fermement une idée au lieu de simplement la proposer, les femmes ont l'impression qu'ils ne s'intéressent pas à leurs opinions et en concluent qu'ils veulent le contrôle de la situation.

La solution

Pour les hommes

Les hommes peuvent signifier clairement qu'ils sont ouverts aux commentaires en faisant une affirmation du genre: «Voici mon idée. Je pense qu'elle est bonne, mais il est toujours possible de l'améliorer. Je suis ouvert aux suggestions.»

Pour les femmes

Une stratégie toute simple permettra aux femmes d'éviter d'avoir l'impression qu'elles se font voler leurs idées. Elles peuvent dire: «J'ai bien réfléchi à cette idée. Je sais clairement ce que je veux faire, mais j'aimerais avoir vos commentaires.» En formulant leurs intentions de cette façon, les femmes organisent la discussion de façon à susciter le débat tout en prouvant que l'idée est la leur.

« Comment défendez-vous votre point de vue dans une discussion ? »

Ce que les hommes comprennent :

Les hommes considèrent les discussions comme des débats limités à la question à l'étude. Ils ne font aucun lien avec ce qui a pu se produire par le passé.

Ce que les femmes comprennent :

Les femmes croient que les discussions reflètent le caractère d'une personne et qu'elles portent sur un éventail de fautes. Les femmes généralisent et pensent que la controverse doit tout régler. Les femmes associent les propos d'une personne à son caractère, et la controverse porte aussi sur cet aspect.

Le malentendu

Les femmes sont profondément conscientes des schémas qui se répètent. Les hommes associeront un conflit à des circonstances précises, tandis que les femmes feront immanquablement le lien avec des incidents similaires ou avec des discussions similaires qui ont eu lieu par le passé. Si elles considèrent qu'un trait de caractère est à l'origine d'une situation passée, elles l'associeront aussi à la situation présente.

Les femmes ont tendance à associer le comportement d'une personne à son caractère. Un homme dira : « Il se comporte comme un idiot. » Une femme dira : « Il est idiot. »

Les femmes agissent ainsi parce qu'elles associent des émotions à leurs souvenirs. Rappelez-vous ce que nous avons vu au chapitre 3 : les différentes parties du cerveau des femmes fonctionnent simultanément. En conséquence, les femmes se rappellent non seulement les événements mais comment elles les ont vécus. De plus, elles établissent très rapidement des liens entre un sentiment vécu par le passé et un autre, similaire, qu'elles vivent à l'instant présent.

Les hommes avec qui je m'entretiens trouvent très frustrante cette habitude. Ils ont l'impression que les femmes tiennent des « cartes de pointage ». Certains y voient même une forme de manipulation. En vérité, pour parvenir à se souvenir de leurs expériences passées de la même façon que les femmes, les hommes devraient eux aussi tenir des «cartes de pointage». Les hommes s'en tiennent aux faits et ne se souviennent généralement pas, comme les femmes, des sentiments qu'un incident leur a fait vivre.

La solution

Pour les hommes

Comprendre la façon dont les femmes réagissent dans le cadre d'une discussion peut aider les hommes à élargir leur point de vue et à éviter de porter des jugements précipités et peut-être mal avisés.

Pour les femmes

L'inverse est aussi vrai: les femmes ont des choses à apprendre de l'attitude masculine. Les hommes n'aiment pas être les acteurs d'un problème. Ils veulent jouer un rôle dans la solution. Les hommes se sentent très frustrés lorsque les femmes se servent d'une discussion pour faire des généralisations. Alors que les femmes croient ainsi décortiquer le problème pour en découvrir la source véritable, les hommes ont plutôt l'impression de s'éloigner de la solution. Pour sortir de cette impasse, les femmes doivent aider les hommes à comprendre comment des événements sans lien apparent ont des effets sur le sujet débattu, bref qu'ils font également partie de la solution.

«À quoi mesure-t-on le succès au travail?»

Les hommes

Gagner.

Les femmes

Gagner et être appréciées de leurs collègues et patrons.

Le malentendu

Les femmes décident de quitter leur emploi surtout pour la raison suivante: elles n'ont pas l'impression que leurs talents sont reconnus. Les hommes n'en reviennent pas: qu'est-ce que la reconnaissance a à voir avec le succès? Pour eux, obtenir une prime, une augmentation de salaire ou une promotion suffit à leur donner le sentiment d'être appréciés. Dans leur cas, «gagner» et «être apprécié» veulent dire la même chose. Mais le succès tel que compris par les hommes ne suffit pas aux femmes.

«Si je ne fais aucune remarque sur son travail, ça veut dire que je l'apprécie», disent les hommes. Mais les femmes ne veulent pas travailler *seulement* pour produire des résultats. Elles veulent sentir que leur travail compte, et pour cela, elles ont besoin d'entendre quelqu'un le leur dire.

La solution

Pour les hommes

Comprendre ce que le succès veut dire pour les femmes peut être très inspirant pour les hommes. Donner aux femmes l'impression de se sentir appréciées n'exige pas de si grands efforts. Ils n'ont qu'à ouvrir la boucher et à dire ce qu'ils pensent au lieu de tenir pour acquis «qu'elles comprennent». Les femmes ont besoin de se faire dire qu'on les apprécie. Ce besoin découle non pas d'un sentiment d'insécurité, mais du fait que, pour elles, le succès est directement lié à l'appréciation de leurs collègues.

Pour les femmes

Les femmes doivent se rendre compte que les hommes n'accordent pas autant d'importance qu'elles à la valorisation personnelle. N'hésitez cependant pas à leur demander ce qu'ils pensent de votre travail. N´attendez pas qu´ils vous le disent, car en général ils croient que votre prime de rendement suffit à vous prouver que vous êtes appréciée.

«Comment vous y prenez-vous pour bien écouter?»

Ce que font les hommes:

Pour les hommes, bien écouter veut dire prêter attention en silence.

Ce que font les femmes:

Pour les femmes, bien écouter veut dire hocher la tête et exprimer verbalement qu'elles comprennent les propos de leur interlocuteur.

Le malentendu

Les hommes associent souvent les marques d'écoute des femmes à des marques d'approbation. Mon mari, qui est avocat, m'a confié être souvent tombé dans ce piège durant des procès devant jury. Lorsqu'il présentait ses conclusions finales au jury, il remarquait parfois certaines femmes en train de hocher la tête. Il se disait alors qu'elles étaient de son côté. Mais, durant le plaidoyer final de la partie adverse, ces mêmes femmes hochaient encore la tête. « J'avais alors l'impression qu'elles approuvaient une position contraire. Je ne savais pas qu'elles montraient simplement qu'elles écoutaient. »

Les hommes signifient qu'ils sont attentifs en restant tranquilles et en observant la personne qui parle. Même après avoir vu des centaines de groupes d'hommes rester impassibles à me dévisager lorsque je suis en train de parler, j'ai encore l'impression qu'ils ne m'écoutent pas. Pourtant, ce n'est pas le cas. Je compare souvent leur regard au regard concentré de l'amateur de sport. Lorsque des femmes voient des hommes immobiles les fixer ainsi pendant qu'elles parlent, elles en concluent qu'ils ne les écoutent pas. Leur réaction ? « Les hommes nous tiennent encore à l'écart. »

Les hommes croient adopter une attitude professionnelle en se montrant attentifs et silencieux. Pour eux, les hochements de tête et les « oui, oui » constituent des flatteries. D'ailleurs, lorsque des hommes voient des femmes manifester leur écoute, ils pensent qu'elles veulent montrer qu'elles sont d'accord. Par conséquent, lorsqu'elles expriment un point de vue différent, ils se sentent déconcertés, frustrés et même manipulés. « On ne sait jamais ce qu'une femme pense », concluent-ils.

La solution

Pour les hommes

Lorsque vous écoutez une femme parler, montrez-lui que vous lui accordez de l'attention en hochant occasionnellement la tête ou en exprimant votre intérêt. Dire « je vois ce que tu veux dire » peut suffire. Rappelez-vous que vous n'exprimez ainsi aucune opinion. Cette intervention ne fait que rassurer votre interlocutrice et lui prouver que vous suivez.

Pour les femmes

Si les femmes ne perçoivent aucun signe d'écoute, elles en concluent qu'on ne les écoute pas. Certaines chefs de service m'ont confié qu'après une présentation elles ont l'habitude de demander aux hommes de répéter leurs propos. Inutile de préciser que ce genre d'attitude paternaliste ne les aide pas. Cessez de supposer que les hommes ne vous écoutent pas s'ils sont simplement assis tranquilles ! La meilleure approche consiste à leur demander s'ils sont d'accord avec vous ou s'ils comprennent ce que vous voulez dire.

« La meilleure façon d´être convaincant »

Ce que les hommes comprennent:

Pour convaincre, les hommes étayent leurs arguments de faits, de tableaux et d'éléments rationnels.

Ce que les femmes comprennent:

Pour convaincre, les femmes étayent leurs arguments d'expériences personnelles et d'expériences vécues par d'autres.

Le malentendu

Il y a plusieurs années, j'assistais à une conférence donnée par la Dre Helen Fisher, célèbre spécialiste des relations hommes-femmes, qui présentait de récents résultats d'études sur les différences entre les sexes. Pour illustrer son propos, elle a commencé ainsi: « Hier soir encore, j'ai entendu certaines de mes amies affirmer que… » Un groupe d'hommes derrière moi n'a pu s'empêcher de réagir à ses propos. « Qu'est-ce que ses amies peuvent bien avoir à faire avec tout cela ? » ont-ils demandé en levant les yeux au ciel.

Les hommes croient que les arguments doivent être étayés par des faits, des tableaux et des éléments rationnels. Les femmes approuvent en général cette façon de faire, mais elles y ajoutent souvent leurs expériences personnelles. Pour elles, il s'agit d'une façon d'approfondir le sujet. Elles se demandent quelles répercussions aura dans un autre domaine la solution préconisée pour le problème étudié. Elles réfléchissent à une décision ou à une stratégie en fonction de leurs propres expériences ou de l'expérience d'autres personnes afin de mieux cerner les effets de sa mise en application. Pour les hommes, la description d'expériences personnelles est souvent considérée comme hors de propos. Ils cherchent des faits et réagissent en disant: « Pourquoi parles-tu de ton expérience personnelle alors que nous essayons de régler une question ? » Là encore, les femmes ont l'impression qu'elles sont tenues à l'écart et que leurs talents ne sont pas reconnus.

La solution

Pour les hommes

Vous devez admettre que l'expérience personnelle peut permettre de comprendre certains problèmes et de parvenir à une solution. J'ai rencontré nombre de chefs d'entreprise qui ont fini par s'en rendre compte et par demander à leurs collègues féminins de leur faire part de leurs expériences.

Pour les femmes

Les éléments rationnels, les faits et l'analyse sont des points importants, surtout si vous tentez de convaincre un homme. Essayez de combiner l'approche rationnelle avec l'approche personnelle. Demandez aux hommes de votre entourage de vous fournir leurs commentaires et idées sur le sujet discuté.

Assumer sa responsabilité

Vous vous demandez sans doute par où commencer pour éviter les malentendus découlant de ces différentes façons de communiquer. Je dis souvent aux gens: «Vous devez assumer la responsabilité de bien écouter les autres.» Si vous reconnaissez que les différences entre les sexes engendrent des malentendus, c'est à vous d'agir.

Avant tout, apprenez à **écouter activement.**

Lorsque nous parlons, nous tenons à nous faire comprendre, mais cela peut nuire à notre façon d'écouter. Lorsque notre interlocuteur est en train de terminer une phrase, nous nous préparons à formuler notre réponse. Au lieu de bien comprendre ses paroles, nous nous soucions de ce que nous allons dire.

Mon conseil ? Écoutez activement. Ralentissez. Assurez-vous que vous avez compris les propos de votre interlocuteur sans les passer à travers le filtre de vos idées toutes faites.

Vous n'avez pas besoin de mémoriser les interprétations décrites dans ce chapitre. Ce ne sont que des exemples de mots et de situations que les hommes et les femmes comprennent différemment. Ce chapitre peut être comparé à un mémo que vous placez dans votre esprit et qui sert à vous rappeler que, lorsque vous écoutez, il se peut que vous n'entendiez pas ce que vous croyez entendre.

Le chapitre suivant vise à faire germer une graine dans votre esprit, celle liée aux perceptions. Ce que nous percevons est lié à notre réalité propre, pas à celle des autres. Et les différences de perceptions entre hommes et femmes sont les plus grandes qui soient.

Nous agissons comme si les personnes du sexe opposé voyaient les mêmes choses que nous, et nous nous demandons si c'est vraiment le cas. Il en résulte évidemment des mésententes. Heureusement, il est possible de les résoudre en ayant recours à quelques techniques simples.

7

Une vision du monde différente

Pour comprendre, il faut n'avoir rien à pardonner.

Mère Teresa

Si vous demandez à un homme et à une femme assis ensemble dans une pièce s'il s'agit de la même pièce, ils vont probablement se dire que vous êtes fou. « Bien sûr ! » vont-ils répondre. Pourtant, il ne s'agit pas de la même pièce. Même lorsqu'ils regardent exactement la même chose, les hommes et les femmes voient des réalités différentes. Puis ils finissent par argumenter afin de savoir quelle pièce est réelle et laquelle ne l'est pas !

Tout le monde sait ce que sont les perceptions. Elles sont « ce que nous saisissons ». Mais les gens ont tendance à oublier que les perceptions ne sont que des perceptions, et non la réalité. Notre façon de voir les choses dépend de ce que nous avons appris durant notre enfance et de notre environnement. J'associe les perceptions à des filtres, car elles façonnent certaines réalités et nous empêchent d'en voir d'autres. Bien sûr, les hommes et les femmes filtrent différemment la réalité. Nous pourrions presque dire que nous vivons dans des réalités entièrement différentes. Et comme le couple assis dans la pièce, nous finissons par argumenter afin de savoir quelle perception est la bonne.

L'histoire d'un couple véritable, Henri et Jeanne, peut servir à illustrer ce qui se passe. Lorsque Henri parle de leurs fréquentations, il raconte les problèmes qu'il a vécus le jour de sa première rencontre avec les parents de sa bien-aimée.

« J'étais en retard et la voiture est tombée en panne. Mais j'ai fini par arriver. Et je l'ai conquise ! » Henri se souvient de courts épisodes qui lui ont permis d'atteindre son objectif : obtenir la main de Jeanne. Voilà le filtre de Henri.

Jeanne ne relate aucune anecdote survenue avant que Henri n'arrive à la maison de ses parents. Lorsqu'elle pense à cette rencontre, elle se rappelle les événements survenus après l'arrivée de Henri. Elle peut dire qui était assis à quelle place à la table de la salle à manger, décrire la réaction de ses parents et l'expression sur le visage de Henri. « Je me rappelle que le col de ta chemise était taché. Et tu as mangé comme un goinfre. C'est étonnant que mes parents t'aient laissé m'épouser ! » raconte-t-elle. Voilà le filtre de Jeanne.

Henri ne se souvient d'aucun de ces éléments. Mais, selon Jeanne, il s'agit de détails cruciaux. Elle se demande bien comment Henri peut se rappeler ce qui lui est arrivé en route. Pour elle, ça n'a aucune importance.

Il n'est pas du tout surprenant de constater que Henri et Jeanne relatent des versions différentes de cette journée. Les hommes gardent en souvenir les faits reliés à un événement. Par exemple, Henri se rappelle exactement à quelle heure il est parti de chez lui pour se rendre chez les parents de Jeanne et combien de temps a duré le trajet. Les hommes ont aussi tendance à penser en termes d'objectifs précis à atteindre. L'attention de Henri est centrée sur ce qu'il a dû surmonter pour se rendre à destination et obtenir la main de Jeanne. Il a eu des problèmes sur la route et la voiture est tombée en panne. Voilà ce dont il se souvient.

En revanche, les femmes établissent des liens entre leurs souvenirs. Elles ont tendance à se concentrer sur les aspects relationnels d'une situation. Jeanne se rappelle comment s'est déroulée toute la rencontre entre ses parents et Henri, ainsi que les moindres détails des interactions entre chacun. Elle n'a pas oublié l'expression sur le visage de ses parents lorsqu'ils ont vu Henri.

Henri et Jeanne se taquinent sur le fait que leurs souvenirs du même événement soient aussi différents. Ils savent que chacun relate une histoire différente, mais sans saisir pourquoi. Après 40 ans de mariage, aucun d'eux ne comprend que leurs visions face à la vie diffèrent totalement. Jeanne pense que Henri ne prête pas attention aux choses essentielles. « Pourquoi te rappelles-tu que la voiture est tombée en panne à 18 h 10, mais pas de ce que tu as ressenti en voyant mes parents ? » lui demande-t-elle. Quant à Henri, le fait que Jeanne se rappelle certains détails comme les propos qu'a tenus sa mère au cours du repas le laisse perplexe. «Qu'y a-t-il de si important à cela?» lui demande-t-il. D'après lui, Jeanne garde en tête une sorte de «carte de pointage».

Henri et Jeanne ne sont pas les seuls à voir les choses ainsi. En général, les hommes et les femmes sont étonnés de voir les personnes du sexe opposé jeter un regard aussi différent du leur sur le monde. À moins de réfléchir aux effets qu'ont les filtres sur les perceptions des personnes du sexe opposé, on risque fort de passer à côté de certaines informations essentielles.

Les «orteils sensibles» des hommes et des femmes

Nous avons tous des filtres perceptifs. Ils proviennent de notre enfance, du milieu où nous vivons, de notre éducation et de nos expériences. La plupart du temps, nous ne nous rendons pas compte qu'ils existent. Mais ils entrent en jeu dans toutes les facettes de notre vie et façonnent notre façon de percevoir ce que disent et font les gens autour de nous.

Les filtres perceptifs ne sont pas nécessairement mauvais. Ils peuvent être très utiles, parce que nos expériences passées nous permettent de comprendre ce qui se passe autour de nous. Nous avons tous besoin de cadres de référence. Malheureusement, nos filtres nous empêchent parfois de saisir toute l'information dont nous aurions besoin. Nous devons donc les identifier pour éviter de tirer des conclusions hâtives de nos observations et de mal interpréter les intentions des autres et ce qu'ils veulent nous faire comprendre.

Les hommes et les femmes sont toujours étonnés d'apprendre le rôle que jouent les filtres perceptifs dans la communication. Nous sommes tellement habitués de voir les choses à notre façon que nous oublions qu'il s'agit d'une perception personnelle. Nous supposons que les autres perçoivent les événements exactement comme nous, et lorsque ce n'est pas le cas, nous réagissons. En général, les femmes croient que les hommes font exprès de ne prêter aucune attention à des détails importants. Et, en général, les hommes croient que les femmes s'attardent trop aux détails. La situation peut alors devenir frustrante, mais comme Henri et Jeanne, avec le temps, nous finissons par nous y habituer. Nous passons en mode «tolérance». Lorsque surviennent certains événements, nous croyons y réagir, mais en réalité, nous réagissons à nos filtres perceptifs. Tout au long de notre vie, nos filtres perceptifs prennent de plus en plus de place, façonnent nos réactions, ce qui, comme nous allons le voir, provoque d'autres réactions.

Pourquoi nous habituons-nous à la situation ? Les hommes et les femmes ont leurs propres « zones de sécurité ». Ils adoptent automatiquement certains types de comportement. Les femmes adorent habituellement s'occuper de détails : se rappeler les dates d'anniversaire, prendre des notes, organiser des réceptions. Les hommes ont tendance à proposer des idées et à s'attendre que les femmes les réalisent. En général, nous ne nous attardons pas à nous demander pourquoi nous pensons ainsi. Si c'était le cas, nous n'avancerions pas. Nous avons plutôt tendance à concevoir des mécanismes d'adaptation qui nous permettent de surmonter les frictions. Nous nous disons : « C'est sa façon d'être. » Et nous nous empressons d'oublier.

Cependant, ce comportement engendre des malentendus chroniques entre les hommes et les femmes. C'est ce que j'appelle « marcher sur les orteils sensibles des personnes de l'autre sexe ».

Imaginez-vous en train de marcher sur la plage. L'eau est d'un bleu éclatant, le soleil brille dans le ciel et la brise fait tranquillement bouger les feuilles des arbres. Mais vous ne remarquez aucun de ces détails parce que vous venez de cogner sur une roche votre orteil sensible. Cet orteil est sensible depuis tellement longtemps que vous ne savez plus ce qui a provoqué cette sensibilité. Vous vivez donc avec ce problème et n'en faites aucun cas la plupart du temps. Mais la vie étant ainsi faite, vous vous cognez parfois l'orteil ou quelqu'un vous marche sur le pied, et là vous ne pouvez plus penser à rien d'autre. Ça fait tellement mal !

Les hommes et les femmes se marchent continuellement sur les orteils sans s'en rendre compte. Ils ne le font pas volontairement ; ils ne savent pas que l'orteil de l'autre est sensible.

Vous trouverez dans les pages suivantes certains des malentendus dont on me parle le plus souvent. Je vais vous expliquer en quoi les filtres perceptifs font que les hommes et les femmes se marchent continuellement sur les orteils et comment régler la situation. Pour y parvenir, il faut simplement « structurer » nos propos, c'est-à-dire formuler notre point de vue, puis vérifier ce que dit l'autre personne pour nous assurer que nous avons bien compris son message. On ne peut se défaire des filtres perceptifs, mais on peut éviter les malentendus qu'ils provoquent.

Les orteils sensibles des femmes

J'ai découvert que bien des femmes trouvent que le comportement des hommes au travail n'engendre pas les effets escomptés chez elles. Voici certains des «orteils sensibles» des femmes.

Le comportement protecteur

Les femmes qui participent à mes ateliers disent souvent: «Lorsque j'arrive à une réunion, je sens que le comportement des hommes change instantanément.» Nous avons déjà abordé ce sujet au chapitre 4 en faisant état des doléances des femmes. Après avoir vécu cette situation des centaines de fois dans leur vie professionnelle, les femmes finissent par se lasser. D'ailleurs, cette situation leur confirme ce qu'elles ont toujours cru: les hommes traitent réellement les femmes différemment au travail.

Le paternalisme est une des formes que prend ce traitement «différent»; les femmes le qualifient parfois de «comportement protecteur». Celles qui participent à mes ateliers disent souvent que les hommes taisent leurs critiques à leur endroit ou modèrent leurs commentaires lorsqu'ils discutent avec elles. Selon les femmes, les hommes prennent aussi certaines décisions à leur place parce qu'ils sont influencés par le filtre suivant: «Je ne peux confier à une femme des mandats trop difficiles ou des tâches exigeant de nombreux voyages.»

Les femmes considèrent aussi comme protecteurs d'autres comportements subtils qu'adoptent leurs collègues masculins avec elles. Après avoir tenu des propos crus, des hommes se tournent vers les femmes présentes dans le groupe pour s'excuser. Comme me l'a déjà fait remarquer une femme: «Il est bon qu'ils reconnaissent que leurs jurons sont inacceptables, mais la solution ne consiste pas à ne présenter des excuses qu'à moi.»

■ *LE FILTRE MASCULIN*

D'où provient le comportement protecteur des hommes? Je sais par expérience que les hommes ne cherchent pas délibérément à surprotéger les femmes. Mais ils sont élevés avec l'idée de devoir prendre soin des femmes, ce qui crée le filtre perceptif que les femmes ont besoin d'être protégées. Les hommes font donc l'effort – même inconsciemment – d'être polis et attentionnés, comme on le leur a appris.

Ils ont aussi un filtre inconscient qui leur dit que «les femmes ont besoin d'être protégées». En général, ils ne s'en rendent pas compte. Il s'agit davantage d'une attitude qu'on leur a fait prendre à l'égard des femmes. La plupart des hommes sont bien intentionnés. Mais un comportement protecteur en affaires peut être une expérience douloureuse pour une femme.

□ La solution pour les hommes

Formulez vos intentions clairement. La première étape pour améliorer la communication avec les femmes consiste à être direct avec elles. Dites: «Je ne veux pas que tu te sentes personnellement visée.» Vous pouvez être plus direct avec les femmes que vous le pensez. Elles se diront alors que vous vous «souciez d'elles». Il est rafraîchissant pour les femmes de découvrir que les hommes sont intéressés à savoir comment leurs gestes sont perçus et qu'ils sont prêts à prendre le risque de faire état de leurs préoccupations. Bien sûr, si les femmes ont l'impression que les hommes ont un comportement protecteur, elles doivent vérifier la nature de leurs intentions.

L'exclusion

Être exclues des clubs strictement masculins n'est pas ce qui dérange le plus les femmes. Ce qui les mine au plus haut point, c'est l'exclusion dont elles font l'objet chaque jour au travail. Par exemple, lorsque des hommes se retrouvent dans le bureau d'un collègue sans avoir invité les femmes ou en constatant que les hommes n'entrent jamais dans le bureau d'une femme comme ils le font entre eux. Les femmes sentent leur «orteil sensible» lorsque les hommes ne les incluent pas dans leurs groupes et ne font aucun effort pour apprendre à mieux les connaître. Les femmes se disent alors: «Nous ne recevons aucun appui des hommes, ils ne se soucient pas de nous et ne nous apprécient pas en tant que collègues.»

Chaque semaine durant des années, Margaret, qui est courtière en valeurs mobilières, a vu son collègue Jean inviter deux autres de ses collègues masculins à jouer au squash, au golf ou au hockey; jamais Margaret n'a reçu d'invitation. Comme elle le dit: «C'est déprimant parce que ça devient tellement prévisible...»

■ *LE FILTRE MASCULIN*

Jean n'excluait pas Margaret volontairement. Mais il agissait comme si c'était le cas, à cause d'un filtre perceptif qui lui intimait: «Elle ne fait pas partie du groupe des gars. Je ne sais pas trop ce qu'elle est, mais vaut mieux être prudent.» Pour les hommes, se retrouver entre gars équivaut à être dans une «zone de sécurité». De plus, Jean pensait que Margaret ne voudrait pas se joindre à eux: «Je ne le lui ai pas demandé parce que je ne croyais pas qu'elle y prendrait plaisir.» Des tas d'hommes me disent qu'ils pensent aussi de cette façon. Mais ils ne se rendent pas compte qu'il s'agit d'un filtre. Les femmes veulent être incluses. Lorsque les hommes font comme si ce n'était pas le cas, ils marchent sur l'orteil sensible des femmes.

□ **LA SOLUTION POUR LES HOMMES**

Ne vous fiez pas à des idées toutes faites. Et si vous faites des suppositions, vérifiez si elles sont fondées. Les hommes n'ont pas besoin d'arrêter de jouer au golf ensemble, mais ils doivent apprendre à faire preuve d'un peu plus d'imagination lorsqu'ils organisent des activités sociales avec leurs collègues. Ouvrez les voies de communication, trouvez un terrain d'entente. Les préférences des hommes et des femmes diffèrent en matière de loisirs, mais il est possible de trouver des activités qui conviennent à tout le monde, comme partager un bon repas, participer à une dégustation de vins ou même aller dans un club de santé.

J'ai vu nombre d'entreprises modifier leurs activités sociales ou en ajouter de nouvelles. Et les hommes doivent noter ce qui suit: beaucoup de femmes aiment faire du sport. Alors n'hésitez pas à les inviter!

Le langage sexiste ou traditionnel

Les femmes, comme les hommes, mettent souvent au masculin le titre de président. Pour les rares femmes qui occupent ce genre de poste, il est difficile de ne pas se sentir mises de côté par ce genre de «détail». Les femmes ont l'impression d'être exclues par le vocabulaire traditionnel. Les métaphores sportives frappent aussi l'orteil sensible des femmes. Certains hommes parlent de «fin de la ronde» des négociations, de «règles du jeu» ou de «moyenne au bâton». Les métaphores militaires, comme «perdre la bataille» ou «lancer une offensive», sont aussi courantes dans le monde des affaires, mais ces expressions ne veulent souvent rien dire pour les femmes et peuvent même être aliénantes.

■ *Le filtre masculin*

Les femmes doivent comprendre que les hommes ne cherchent pas délibérément à les exclure lorsqu'ils emploient ce genre d'expressions. Ils sont tout simplement influencés par un filtre du passé voulant que le vocabulaire des sports et de la guerre est efficace pour faire comprendre une idée à tout le monde. Mais ça ne dit rien aux femmes! Il y a longtemps, lorsque le milieu des affaires était composé presque exclusivement d'hommes, il était logique d'avoir recours à ce type d'analogies. Mais ce n'est plus le cas et le vocabulaire traditionnel ne sert qu'à alimenter le sentiment d'exclusion des femmes. En fin de compte, ce n'est pas un moyen de communication efficace.

□ **La solution pour les hommes**

C'est simple: les hommes doivent utiliser un langage plus général. Par exemple, au lieu de dire «Bonsoir, mesdames et messieurs», utilisez l'expression «Bonsoir tout le monde». «Tout le monde» est une expression invitante. Je dis aussi aux hommes de ne pas s'attarder à déterminer qui a tort ou raison à ce sujet: «Reconnaissez simplement que le vocabulaire traditionnel peut nuire à votre réputation. Les hommes qui y ont recours perdent la moitié de leur auditoire. Le langage évolue continuellement et vous devez évoluer avec lui.»

La dépréciation ou le discrédit

Nous avons beau être au troisième millénaire, bien des gens croient encore que les femmes sont moins compétentes et ont moins d'expérience que les hommes. Cette croyance est enracinée dans l'esprit de la plupart des gens, hommes ou femmes. Mais pour les femmes qui subissent ce type de comportement, il s'agit d'une autre expérience difficile.

J'ai moi-même ressenti fortement ce sentiment lorsque je travaillais dans le domaine de la vente. Les hommes me donnaient des explications sans fin ou reformulaient les propos de leurs collègues masculins pour que je comprenne bien la situation. Ils n'agissaient peut-être pas ainsi consciemment. Mais c'était humiliant. Les femmes me confient souvent qu'on exige d'elles plus de données et d'arguments que nécessaire, comme si les hommes croyaient qu'elles ne savent pas de quoi elles parlent. Durant les réunions, les hommes reprennent certaines explications à l'intention de leurs collègues féminins, et ce, devant tout le monde. Ils semblent supposer que les femmes n'ont pas compris.

■ *LE FILTRE MASCULIN*

Les hommes ne se rendent pas compte qu'ils discréditent les femmes. Ce comportement prévaut surtout dans les domaines où les femmes n'ont jamais été très présentes, comme le droit, la finance, le haut fonctionnariat, les forces armées et la police. Dans les domaines traditionnellement masculins, les hommes sont aux prises avec un filtre qui leur dit que les femmes «ne sont pas dans le bon secteur d'activité». Les femmes qui ont réussi dans ces domaines sont souvent aussi aux prises avec ce filtre.

Une fonctionnaire à la retraite a déjà admis devant moi avoir refusé durant des années d'engager des femmes. «Je ne croyais pas qu´elles seraient à la hauteur et je craignais qu'en engageant trop de femmes les gens se disent que mon travail n'était pas très important, que c'était un travail de femme.» Elle a fini par constater son erreur.

□ **LA SOLUTION POUR LES HOMMES**

Vérifiez si vous avez donné à une collègue l'impression de la discréditer. Si c'est le cas, dites-lui que vous ne l'avez pas fait intentionnellement et demandez-lui de vous aider à éviter cette attitude à l'avenir. Elle sera heureuse de constater que vous vous souciez d'éviter de la blesser.

La cohésion masculine

La plupart des hommes se sentent en sécurité lorsqu'ils travaillent avec d'autres hommes. Les femmes le remarquent et peuvent se sentir mises à l'écart. Les femmes me disent: «Même si deux hommes ne se connaissent pas, ils semblent s'identifier instantanément l'un à l'autre. C'est curieux.» Les hommes discutent souvent de sport entre eux, ce qui donne aux femmes, comme nous l'avons vu, l'impression d'être exclues. Les femmes qualifient ce comportement de «cohésion masculine». Il s'agit d'un orteil sensible chez les femmes.

■ *Le filtre masculin*

Les femmes considèrent cette cohésion entre les hommes comme un moyen intentionnel de les exclure. Mais pour les hommes, il s'agit tout simplement d'une «zone de sécurité». Étant donné la confusion dans les règles qui régissent les conversations entre hommes et femmes au travail, les hommes trouvent difficile de discuter avec leurs collègues féminins. Il est donc plus facile et plus sécuritaire pour eux de converser entre gars. D'ailleurs, le sport est habituellement un sujet qui les intéresse tous.

□ **La solution pour les hommes**

Trouvez des sujets d'intérêt commun. Demandez à vos collègues féminins de vous indiquer quels sujets elles sont à l'aise d'aborder. Cela ne signifie pas que vous deviez éviter de parler d'autre chose entre vous. Rappelez-vous aussi que certaines femmes aiment discuter de sport alors que d'autres non, tout comme certains hommes ont d'autres sujets d'intérêt. Il est simplement logique de vérifier si un sujet intéresse tous les membres d'un groupe.

La trop grande réserve des hommes

Les femmes trouvent que les hommes font des cérémonies avec elles; elles en concluent qu'ils cherchent à garder leurs distances. Les hommes sont souvent très familiers entre eux tout en restant excessivement polis et courtois avec les femmes. Lorsque cette politesse empêche une certaine familiarité professionnelle, les femmes se sentent humiliées. Elles se disent alors: «Il est insensible, ou il fait preuve de froideur, ou il ne veut rien savoir de moi, ou il ne me prend pas au sérieux.» Cela ajoute au sentiment d'exclusion des femmes.

■ *Le filtre masculin*

Le comportement cérémonieux qu'adoptent les hommes avec les femmes n'est pas attribuable à de l'indifférence. Il équivaut à une forme de respect et constitue un moyen d'éviter que les femmes interprètent mal leurs agissements. Les hommes préfèrent se montrer cérémonieux que de se faire reprocher d'être trop familiers avec leurs collègues féminins. Ils craignent sincèrement de les offenser.

☐ La solution pour les hommes

Vous devinez sans doute ce que je me prépare à vous dire : ne vous cachez pas derrière votre zone de sécurité ! Assurez-vous de maintenir ouvertes les voies de communication. Ainsi, vous n'aurez plus jamais à vous demander si vous êtes en train d'offenser vos collègues.

Les orteils sensibles des hommes

Comme je l'ai mentionné au chapitre 4, il est difficile d'amener les hommes à discuter des doléances qu'ils ont envers les femmes avec qui ils travaillent. En général, ils ne s'attardent pas autant que les femmes à réfléchir aux relations qu'ils entretiennent avec leurs collègues. « Nous allons au bureau pour faire notre travail », disent-ils. Mais cela ne signifie pas que les hommes n'éprouvent pas de difficultés à travailler avec les femmes. Il faut savoir leur poser les bonnes questions pour les faire parler. Par exemple, ils ne parleront pas du fait qu'ils se sentent tenus à l'écart du pouvoir ou non, mais ils discuteront facilement de ce qui les amène à se replier sur eux-mêmes.

Évidemment, les femmes aussi marchent sur les orteils sensibles des hommes. Elles le font à cause de certains filtres perceptifs qui leur font voir le monde d'une certaine manière.

Dans les pages qui suivent, nous verrons les types de comportement qui amènent les hommes à se replier sur eux-mêmes et en quoi le comportement des femmes peut parfois être exaspérant pour eux. Les femmes doivent identifier les filtres perceptifs qui les influencent pour éviter les malentendus.

Le manque de rigueur dans la recherche de solutions

Voici ce que disent les hommes qui participent à mes ateliers : « Les femmes passent d'un sujet à l'autre » ou « Lorsque les femmes discutent d'un problème, elles y mêlent d'autres problèmes ». C'est vrai. Pour chercher des solutions à un problème, les femmes le mettent en parallèle avec d'autres sujets. Cette façon de procéder est frustrante pour les hommes, qui ont l'impression qu'elles ne font que soulever de nouvelles difficultés, embrouiller la situation et s'éloigner de la solution. « Lorsque je présente un problème, les femmes y ajoutent toute une autre série de problèmes. Je ne sais plus sur lequel me concentrer », explique l´un d´eux. Certains en concluent que les femmes sont incapables de se concentrer et qu'elles n'ont pas les habiletés nécessaires pour résoudre des problèmes. D'autres affirment que les femmes manquent de rigueur et font continuellement des détours. Certains hommes croient même que les femmes agissent ainsi délibérément pour les déconcerter.

■ *Le filtre féminin*

Les femmes ne manquent pas plus de rigueur que les hommes et elles sont tout aussi capables de se concentrer qu'eux. Cependant, quand elles étudient un problème, elles considèrent les liens qui existent avec d'autres problèmes. Par ailleurs, les femmes ont besoin de parler pour se concentrer, alors que les hommes, eux, se concentrent d'abord et parlent ensuite. Il n'existe pas de bonne ou de mauvaise façon de régler un problème. Il existe différentes méthodes. Pour les hommes, le problème est en soi unique et ils cherchent avant tout à le résoudre. Hommes et femmes ne se familiarisent pas de la même façon avec un problème.

□ **La solution pour les femmes**

Structurez vos propos. Mais avant d'ouvrir la bouche, réfléchissez au but de la discussion. Si vous voulez explorer différentes facettes du problème avant d'en arriver à une solution, vous devez le faire savoir à vos interlocuteurs, car les hommes supposent toujours que vous cherchez une solution, un point c'est tout.

Les généralisations

Voici ce que disent les hommes: «Les femmes partent toujours d'une situation pour généraliser.» Quand les hommes parlent de généralisations, ils parlent en fait de caractéristiques communes à diverses situations. Les femmes ont tendance à relever ces caractéristiques et à utiliser cette information pour analyser une situation précise. Les hommes trouvent frustrante cette façon de faire parce qu'ils pensent qu'elles cherchent ainsi à leur faire des reproches et à ressasser le passé. Ils disent: «À partir d'une situation, une femme généralise de façon à me donner l'impression que je fais toujours la même erreur.» Par exemple, une femme dira à un collègue masculin qui est en retard: «Tu es *toujours* en retard.» Son commentaire reflète peut-être la réalité, mais il le prendra comme une forme de reproche.

■ *Le filtre féminin*

Les femmes ne généralisent pas dans le but de faire des reproches. Elles le font parce qu'il est pour elles naturel de dégager les caractéristiques d'une situation qu'elles vivent et de faire le rapprochement avec celles de certaines situations passées. Lorsqu'elles remarquent des similarités, elles ont tendance à les attribuer au caractère de la personne en cause. Elles ne peuvent s'en empêcher (et elles ont parfois raison). Mais elles oublient que les hommes ne voient pas le monde de la même façon qu'elles. Alors qu'une femme pense simplement passer une remarque, l'homme croit qu'elle est en train de tenir un «pointage» et de le blâmer. Il se sent alors frustré.

□ **La solution pour les femmes**

Éliminez les mots «toujours» et «jamais» de votre vocabulaire. Je sais que c'est difficile parce que vous avez de la facilité à remarquer les liens qui existent entre les événements. Mais ces deux mots incitent les hommes à faire porter la discussion seulement sur la fréquence de l'incident. Lorsque vous discutez avec un homme, essayez de vous en tenir à la question débattue. Les hommes remarquent peu les répétitions d'événements; ils se concentrent sur un seul sujet, qu'ils veulent régler pour passer à autre chose.

L'émotivité

Voici ce que disent les hommes: «Parfois, j'aimerais dire aux femmes d'arrêter de s'en faire avec de si petites choses! Souvent, ce qui les bouleverse n'a aucun effet sur moi.» En réalité, les femmes ne sont pas plus sensibles que les hommes. Elles ne font que traiter l'information différemment. Elles apprennent à intérioriser les choses. Elles réfléchissent avant tout à l'influence qu'elles ont pu avoir sur un événement ou une situation. Elles se demandent: «Qu'ai-je fait pour provoquer cela?» Elles intériorisent les conflits en réagissant parfois par des pleurs, alors que les hommes extériorisent les conflits et explosent. Les hommes interprètent la réaction des femmes comme un manque de confiance en elles ou un signe de faiblesse. Ils disent qu'elles se laissent plus facilement abattre qu'eux. «Personne ne pleure au football!» Mais les femmes ne réagissent pas de la même façon que les hommes. Les femmes ne sont pas des hommes.

■ *Le filtre féminin*

Les femmes ne pleurent pas pour gagner la sympathie des autres ou pour attirer l'attention sur elles. Pour elles, il est aussi naturel d'intérioriser les conflits que de respirer. C'est tout. Les hommes s'extériorisent davantage et vont plus facilement laisser exploser leurs insatisfactions. La façon de réagir des femmes est sans arrière-pensées. Une fois que les hommes ont compris cela, une partie de leurs incertitudes et appréhensions s'estompe, et leurs relations avec les femmes ne s'en portent que mieux.

Lorsque les hommes découvrent que les pleurs sont très souvent pour les femmes une façon d'exprimer leurs frustrations et leur colère, comme les hommes le font en donnant un coup de poing sur leur bureau, ils finissent par dire: «Ah! je comprends!» Ils peuvent alors remplacer le filtre «les femmes sont sensibles» par «les femmes vivent le stress et les conflits différemment des hommes et elles expriment aussi leur anxiété différemment».

□ **La solution pour les hommes**

Détendez-vous! Une femme qui pleure n'est pas en train de perdre tous ses moyens. La plupart du temps, vous ne pouvez rien faire d'autre que de l'écouter exprimer sa frustration. Donnez-lui un mouchoir et laissez-la mettre les choses au point en faisant état de ses frustrations. Rappelez-vous que la pire chose à dire dans un tel cas est: «Ne pleure pas» ou «Ne prends pas les choses aussi à cœur».

L'incapacité à réprouver une conduite

Les hommes parlent ainsi: «J'aimerais que les femmes me disent quel est le problème. À la place, elles se vexent et finissent par remettre le sujet sur le tapis des jours plus tard!» C'est vrai. Les femmes hésitent souvent à dire aux hommes que telle façon d'agir leur paraît inacceptable. Pourquoi? Parce qu'elles craignent que les hommes les envoient promener ou qu'ils les trouvent trop sensibles.

■ *Le filtre féminin*

Il existe différentes raisons pour lesquelles les femmes ne veulent pas confronter les hommes lorsqu'ils ont eu une conduite qu'elles considèrent comme inacceptable avec elles. Les femmes sont alors aux prises avec le filtre «les hommes nous tiennent à l'écart». Elles ne veulent pas avoir l'air intolérantes; elles attendent donc de voir s'il s'agit d'un incident isolé. Elles en prennent note mentalement et, si la situation se reproduit, elles abordent alors la question avec des preuves plus solides en main. Elles peuvent aussi attendre un moment plus approprié. De cette façon, les femmes craignent moins de voir les hommes les envoyer promener.

□ La solution pour les femmes

Il est préférable de dire immédiatement aux hommes (en privé) que vous jugez leur conduite inacceptable. Rappelez-vous qu'en général les hommes ne cherchent pas à vous humilier. Il vous est sans doute difficile d'être directe, mais vous éviterez ainsi de ruminer votre mécontentement. Si vous ne savez comment vous y prendre, servez-vous des méthodes expliquées au chapitre 10.

Les sous-entendus plutôt que les demandes claires

Les hommes aimeraient que les femmes comprennent leur besoin d'en arriver à l'essentiel. «Les femmes tournent autour du pot sans progresser vers une solution», disent-ils. Ce point est particulièrement délicat dans leurs vies personnelles. Disons qu'un couple s'en va au restaurant. La dame dit: «Tu te souviens de ce merveilleux restaurant chinois où nous sommes allés l'année dernière? Il est tout près.» La réaction de son mari? «Oui, je m'en souviens.» Et il poursuit sa route jusqu'à la destination prévue au départ. Si sa conjointe se montre blessée par sa réaction, l'homme, perplexe et frustré, a l'impression d'être blâmé sans savoir au juste pourquoi.

■ *Le filtre féminin*

Au travail, ce problème se traduit par un malentendu classique entre les hommes et les femmes. Les hommes affirment que les femmes tournent autour du pot pour ensuite les blâmer de ne pas les comprendre. Mais ils ne se rendent pas compte que les femmes sont aux prises avec un filtre. En faisant une remarque, elles croient émettre un message clair, mais les hommes l'interprètent comme une mention sans importance. Les femmes ne comprennent pas que les hommes n'interprètent pas une remarque faite en passant («Te souviens-tu de ce merveilleux restaurant chinois...?») comme une proposition («Allons au restaurant chinois»). Les hommes ne voient là qu'un simple souvenir puis n'y pensent plus.

☐ La solution pour les femmes

Soyez plus directe lorsque vous parlez à un homme. Ne soyez pas arrogante, mais ayez recours à un langage clair orienté sur *l'action* attendue. Structurez votre message: « J'ai une demande à te faire. J'aimerais que tu fasses telle chose pour moi. » Les hommes seront heureux de voir une demande formulée de cette façon.

Prendre ses filtres en charge

Sommes-nous maîtres de nos filtres ou sont-ils maîtres de nous? Bien des gens ont de la difficulté à imaginer que des filtres influencent leur personnalité. Au début de mes ateliers, David, un gestionnaire particulièrement impétueux, affirmait avec insistance qu'il n'était aux prises avec aucun filtre. « Vous ne pouvez me changer, disait-il. Je suis maniaque du contrôle, un point c'est tout. »

David agissait effectivement comme un maniaque du contrôle. Ses collègues frémissaient lorsqu'il leur intimait de se taire au beau milieu d'une phrase. Il levait la main tel un arbitre de soccer et leur disait de garder leur idée pour plus tard (évidemment, ils l'avaient oubliée lorsqu'il leur donnait la chance de parler). Lorsqu'ils tentaient d'exprimer un point de vue, il les interrompait.

La réponse à la question que je viens de poser est: les filtres sont maîtres de nous jusqu'au moment où nous en prenons conscience, où nous apprenons à les reconnaître et où nous les prenons en charge.

David s'est rendu compte qu'il était aux prises avec un filtre lui intimant d'agir de manière directive pour être en contrôle de la situation. Il avait intégré ce filtre tôt dans sa vie professionnelle, lorsque des associés l'avaient laissé tomber. « J'ai alors pris la décision qu'il était préférable que je contrôle tout moi-même au lieu d'être laissé en plan, et je m'en suis toujours tenu à cette ligne directrice par la suite. »

David a reconnu qu'il était aux prises avec un filtre. Il a constaté que son comportement était inadéquat et inefficace. Ses collègues effectuaient leur travail, mais ils étaient frustrés et découragés. Et plus important encore, David s'est rendu compte que son comportement directif allait à l'encontre de son objectif d'aider son équipe à atteindre ses objectifs.

David a alors décidé d'assumer la responsabilité de son filtre et de modifier son comportement. Tout simplement. Après cette prise de conscience, il a réussi à modifier son comportement et à se concentrer sur son véritable objectif.

L'histoire de David se termine bien, mais elle aurait aussi pu mener au désastre son entreprise. Le filtre perceptif de David avait engendré un «point aveugle». Il ne voyait tout simplement pas comment ses collègues percevaient ses gestes. Dans le chapitre suivant, vous comprendrez comment les filtres masculins et féminins créent des «points aveugles» qui mènent à d'énormes malentendus. Vous verrez aussi ce que vous pouvez faire pour éviter d'en être victime.

8

Nous ne comprenons pas les mêmes choses

Pour voir la vérité dans ce qui nous est inconnu, il faut d'abord fermer les yeux sur ce qui nous semble essentiel.

Leonard Cohen, auteur et poète (traduction libre)

Au travail, nous sommes submergés par les stéréotypes: «Les hommes n'écoutent pas», «Les femmes parlent trop», «Les hommes aiment s'accaparer les tâches difficiles», «Les femmes aiment le travail d'arrière-plan et leur carrière n'est pas leur priorité», «Les hommes sont les principaux pourvoyeurs de la famille»... Les stéréotypes peuvent être flagrants ou subtils. Ils sont presque toujours des mythes. Malgré tout, les idées qu'ils véhiculent ne sont pas le véritable problème. Le véritable problème est l'interprétation que nous en faisons. Nous agissons en fonction d'idées toutes faites sans vérifier si elles ont un certain fondement. En général, elles n'en ont pas.

Cette situation crée des «points aveugles», c'est-à-dire des éléments que nous ne voyons pas, de l'information qui ne se rend pas jusqu'à nous à cause des préjugés que nous entretenons à l'égard des personnes du sexe opposé et de leur façon de réagir ou de penser dans certaines circonstances. Les points aveugles sont une des principales causes des malentendus qui existent entre les personnes des deux sexes.

L'histoire de Maya

L'histoire suivante est un exemple typique des effets destructeurs d'un point aveugle sur une relation de travail. Dans ce cas-ci, une employée pourtant appréciée a failli être poussée hors de l'entreprise. Vous pourriez vous reconnaître dans l'un des principaux personnages de cette histoire.

Maya, une ingénieure et une mère de trois enfants, reconnue comme étant l'une des plus grandes expertes techniques d'une grande société informatique, avait décidé de quitter son emploi. Lorsque je l'ai rencontrée, elle étudiait une offre d'une société concurrente. C'était là une histoire que j'avais entendue à maintes reprises. Même si elle avait travaillé dur pendant des années et obtenu des résultats étonnants, Maya avait l'impression que ses patrons n'appréciaient pas sa contribution. Pour elle, la situation avait trop duré.

Maya aimait son travail et s'entendait bien avec ses collègues; je lui ai donc demandé de m'expliquer plus en détail les raisons pour lesquelles elle voulait partir. J'ai fini par apprendre que son employeur avait décidé d'ouvrir un bureau en Australie et que, même s'il ne s'agissait pas d'une promotion, Maya trouvait qu'elle aurait été la candidate idéale pour diriger ce projet de prestige qui nécessitait un séjour de trois mois là-bas. Mais on ne lui avait pas offert le poste; d'ailleurs, elle en avait entendu parler seulement après avoir appris qu'on se préparait à y nommer une autre personne, moins qualifiée qu'elle. Personne ne lui avait demandé si le poste l'intéressait. Maya était tellement humiliée et offusquée qu'elle avait décidé de ne pas en parler à son patron. Pour elle, cela prouvait qu'on ne lui vouait aucun respect et qu'on ne reconnaissait pas ses compétences. « Ce qu'il pense de moi est clair. Tout cela parce que je suis une femme. »

Comme je me doutais que Maya était aux prises avec un point aveugle, je lui ai demandé si elle était prête à vérifier ses suppositions et à demander à son patron pourquoi il ne lui avait pas proposé le poste en Australie. Ce n'était pas facile pour elle puisqu'elle avait déjà décidé de quitter son emploi, mais elle a finalement accepté. « Laissez de côté vos idées toutes faites. Il se peut que vous ayez raison, mais oubliez-les quelques instants », lui ai-je dit. Je lui ai suggéré, au lieu de dire à son patron que son attitude l'avait blessée, ce qui risquait de le mettre sur la défensive, de présenter des commentaires structurés et étoffés. Voici ce qu'elle lui a dit :

« Tom, j'ai présumé que tu n'avais même pas pensé à moi pour le poste en Australie. Je veux vérifier si c'est le cas. »

Tom était dérouté : « J'ai simplement supposé qu'une femme avec trois jeunes enfants ne voudrait pas déménager en Australie pour trois mois au beau milieu de l'année scolaire. Je ne voulais pas te mettre dans l'embarras en t'obligeant à refuser ce poste. »

Tom était le directeur commercial typique. Il était un homme « d'action » : engagé, dynamique et axé sur les résultats. Il vivait dans un milieu où l'on n'a guère le temps de s'asseoir pour réfléchir à une situation donnée. Mais il était aussi un homme juste qui essayait de trouver ce qui était dans l'intérêt fondamental de ses collègues. Il savait que Maya aurait parfaitement rempli le mandat et il s'était rongé les sangs à se demander s'il devait lui offrir ce poste ou non. En fin de compte, il s'était dit qu'il lui ferait de la peine en lui proposant ce travail.

Maya était étonnée et fâchée, mais elle se rendait compte que Tom n'avait pas eu de mauvaises intentions. Et, surtout, elle savait qu'il était encore possible de recoller les pots cassés. « Il me faut ce travail en Australie, lui a-t-elle répondu. J'attends depuis des années une occasion comme celle-là. »

Quel était le point aveugle ?

Maya et Tom étaient tous les deux aux prises avec des points aveugles. Ils s'étaient laissé influencer par certains stéréotypes sur les personnes du sexe opposé. Tom avait supposé que Maya faisait passer sa famille en premier et qu'elle ne voudrait pas perturber sa vie familiale en déménageant en Australie. Quant à Maya, elle croyait que Tom n'avait aucun respect pour les femmes. Elle en avait conclu que son patron avait fait preuve de discrimination à son égard parce qu'elle était une femme.

Heureusement, Maya et Tom ont compris leurs points aveugles avant qu'il ne soit trop tard. Tom a offert le poste en Australie à Maya. Maya a obtenu une permission spéciale de l'école pour que ses enfants puissent aller la retrouver avec leur père en Australie durant un mois. À son retour, Maya a affirmé qu'il s'agissait de l'un des projets les plus stimulants et excitants auxquels elle avait eu la chance de participer.

Les points aveugles à la maison

Les points aveugles ont des effets négatifs pour tout le monde et pas seulement au travail. Il y a plusieurs années, Victoria, qui est une jeune cadre, est venue me rencontrer pour discuter de l'échec de son mariage. Victoria avait suivi une retraite pour pouvoir réfléchir et se retrouver. À son retour, elle avait décidé de demander le divorce. «La relation a changé. Tout ce que Tim veut, c'est que nous nous adonnions chacun de notre côté aux activités qui nous intéressent.»

Victoria supposait que Tim ne se sentait plus lié par l'engagement du mariage et qu'il ne s'intéressait plus à elle. Comme bien d'autres personnes, elle cherchait une solution. Elle avait suivi une retraite afin d'en revenir avec une décision. Elle avait assigné un sens précis aux gestes de Tim, s'en était tenue à son idée et était passée à l'action, bref elle avait décidé de demander le divorce.

En fait, Victoria était aux prises avec un point aveugle. Comme Maya, elle avait supposé que les hommes ne se soucient pas des femmes. Je l'ai encouragée à parler à Tim des idées qu'elle s'était faites avant de demander le divorce. Tim ne pouvait en croire ses oreilles. Il lui a dit qu'il se sentait toujours lié par leur engagement. Il y avait une bonne explication à son geste: il trouvait important pour chacune des personnes du couple de garder une certaine indépendance.

Tim trouvait que lui et Victoria étaient, avec le temps, devenus «trop soudés» l'un à l'autre. Il avait réagi en organisant plus de sorties avec ses amis et en encourageant Victoria à faire la même chose. Il avait supposé que Victoria ressentait la même chose et qu'elle avait compris son point de vue. Heureusement, Victoria et Tim se sont rendu compte avant qu'il ne soit trop tard qu'ils avaient entretenu de fausses idées l'un sur l'autre.

Le cercle vicieux des points aveugles

Les hommes et les femmes sont aux prises avec des idées préconçues et des points aveugles concernant les personnes du sexe opposé. Le véritable problème, c'est qu'ils réagissent de la même façon à ces points aveugles et que ces réactions finissent par alimenter les idées de départ.

Prenons une idée que se font les femmes : les hommes n'écoutent pas. Les femmes réagissent souvent à cette idée en parlant davantage. Les femmes me disent : « Comme les hommes n'écoutent pas, j'estime que je dois parler encore plus, étayer davantage mes propos et me répéter continuellement. Si je m'explique assez longtemps, ils finiront bien par comprendre. » Comment réagissent les hommes lorsque les femmes n'arrêtent pas de parler ? Beaucoup d'entre eux ont l'impression de se faire sermonner. Alors, ils cessent d'écouter. À la maison, les hommes répondent en soupirant : « Oui, chérie. » Au travail, les hommes se disent : « Bon, c'est reparti ! »

Que se passe-t-il ensuite ? Les femmes croient que leur idée de départ se confirme, c'est-à-dire que les hommes n'écoutent vraiment pas. Quelle confusion !

Mettre fin au cycle

Que faire pour éviter ce cercle vicieux ? Nous devons tout d'abord nous questionner sur les idées toutes faites que nous entretenons. C'est difficile, mais c'est la seule façon de s'en sortir.

Pour y parvenir, il faut apprendre à écouter. Il y a deux types d'écoute. La plupart des gens adoptent le premier, c'est-à-dire qu'ils écoutent en procédant à une sélection. Ils guettent des signes qui confirment ce qu'ils savent déjà. Ils comparent ce qu'ils entendent à ce qu'ils savent déjà et décident si c'est « bon ou mauvais ». Les personnes qui s'en tiennent à cette seule méthode ne réussissent qu'à valider leurs propres opinions et idées. Elles n'apprennent rien de vraiment nouveau.

Il faut plutôt adopter le deuxième type d'écoute : l'écoute active. Pour y parvenir, nous devons consciemment mettre un terme à notre processus de sélection de façon à apprendre de nouvelles choses ou à jeter un regard nouveau sur des choses connues. L'écoute doit devenir une occasion d'apprendre, de mettre de côté nos préjugés, de nous ouvrir à des découvertes qui viendront remettre en question nos vieilles idées. L'écoute active nous permet de nous mettre à la place de l'autre et de voir les choses de son point de vue. Nous pouvons ainsi comprendre ce qu'il tente de dire. L'écoute active permet des « Ah ! je comprends ! ».

Comment devez-vous vous y prendre pour faire de l'écoute active ? Suivez les directives suivantes :

1. *Prenez la situation en charge.* C'est le seul moyen d'éviter de devenir victime de vos points aveugles. Essayez de reconnaître vos propres points aveugles avant de juger et d'évaluer ceux des autres. Demandez-vous : « Y a-t-il dans ses paroles quelque chose que je ne comprends pas ? » C'est sûrement le cas.
2. *Posez des questions.* Demandez à votre interlocuteur de préciser ce qu'il veut dire. Quelle est son opinion ? Comment la situation lui apparaît-elle ?
3. *Ayez recours à des stratégies pour vérifier vos idées et structurer vos propos.* Commencez par vérifier si votre idée est fondée. Peut-être est-ce le cas, mais il pourrait y avoir d'autres éléments à considérer. Puis, structurez votre question de façon à éviter de mettre votre patron, votre employé, votre collègue ou votre conjoint sur la défensive.
4. *Ne filtrez pas les réponses.* Demandez-vous si vous poursuivez un véritable dialogue avec votre interlocuteur. Si c'est le cas et si vous faites de l'écoute active, cela signifie que vous tirez de son point de vue quelque chose de nouveau.
5. *Ne vous mettez pas sur la défensive.* Si vous voulez obtenir des réponses, posez des questions. Ce n'est pas le temps de dire : « Ce que tu m'as dit m'a fait de la peine ». Dites plutôt : « Je m'étais fait telle idée. Je veux vérifier si c'est ce que tu voulais vraiment dire. »
6. *Pour vous rappeler le sens de cette démarche, posez-vous quelques questions :* « À long terme, qu'est-ce que je veux retirer de cet engagement ? Est-ce que je veux que cette relation dure ? »

Avec le temps, j'ai remarqué que les idées que se font les hommes sur les femmes et celles que se font les femmes sur les hommes reviennent constamment. Toutes ces idées créent des points aveugles qui mènent à des malentendus. Mais les solutions sont généralement plus simples à trouver qu'on ne le croit. Jetez un œil sur les exemples suivants.

Les points aveugles des hommes

Voici certaines des idées que se font les hommes sur les femmes.

« Il faut se retenir avec les femmes »

Ce que supposent les hommes

Les hommes supposent souvent qu'ils doivent se retenir avec les femmes parce que celles-ci sont plus sensibles qu'eux. Souvent, ils en viennent à penser cela à cause d'expériences vécues. Bien des hommes ont vu des femmes pleurer au travail et ils pensent qu'ils doivent à tout prix éviter de provoquer ces crises de larmes. Bien des hommes viennent me demander comment s'y prendre pour parler à leurs employées. Ils savent qu'ils ont un problème de communication. Ils se rendent compte que la réserve qu'ils entretiennent à l'égard des femmes ne fonctionne pas, mais ils ne savent pas quoi faire.

Rick, un cadre supérieur de la banque HSBC, était l'un de ces hommes. Il disait: « Je suis plus dur avec les hommes qui travaillent pour moi qu'avec les femmes. Je ne me gêne pas pour passer un savon aux hommes ou pour les taquiner sur leur cravate ou autre chose. Mais je mets toujours la pédale douce avec les femmes. Et Dieu me garde de leur faire des commentaires sur leur façon de s'habiller! » Il était tout à l'honneur de Rick d'avoir compris certaines choses: « Les femmes me disent que je ne les écoute pas. En vérité, je me replie sur moi-même lorsque je fais affaire avec des femmes. Il est évident que je traite les hommes et les femmes différemment au travail. Mais il le faut! Les femmes prennent tout trop à cœur! »

Comme bien des hommes, Rick supposait que les femmes prennent tout trop à cœur. Je lui ai vivement conseillé de vérifier cette idée toute faite.

Trouver le point aveugle

Il est vrai que les femmes sont émotives. Comme nous l'avons vu au chapitre 3, le mode de fonctionnement du cerveau des femmes les empêche de séparer, comme le font les hommes, les émotions et le reste des activités de leur cerveau. Mais le fait de réagir en faisant appel à leurs émotions ne signifie pas qu'elles sont incapables d'encaisser les coups.

C'est ce que Rick a découvert au cours d'une réunion qu'il a organisée avec les femmes membres du conseil de direction de son entreprise pour vérifier ses idées préconçues. Voici ce qu'il leur a dit: «Récemment, je me suis rendu compte que j'étais aux prises avec une idée toute faite; je me dis que les femmes sont émotives. Pour éviter de les peiner ou de les blesser, je mets la pédale douce. Ce comportement vous ennuie-t-il? Si oui, comment devrais-je plutôt agir avec vous?»

La réaction des femmes? «C'est vrai, ont-elles répondu. Nous avons tendance à prendre les choses "personnellement".» Elles ont alors posé à Rick une question étonnante: «Quel est le problème? Nous pleurons, puis nous passons à autre chose. Ce qui compte pour nous, c'est que tu fasses preuve de franchise. Nous n'aimons pas que tu tournes autour du pot.»

En procédant de la sorte, Rick s'est rendu compte qu'il était aux prises avec un point aveugle. Malgré ses bonnes intentions, il avait supposé que les femmes aimaient être traitées avec des gants blancs. Il avait tort. Les femmes veulent être traitées de la même façon que les hommes.

«Les femmes aiment mieux faire affaire avec des femmes»

Ce que les hommes supposent

Les hommes supposent que les femmes ont davantage les qualités nécessaires pour régler les problèmes d'autres femmes et qu'elles préfèrent faire affaire entre elles. Le processus de socialisation des garçons et leur éducation contribuent sans doute à leur mettre cette idée dans la tête. Sans le savoir, les femmes contribuent parfois à la perpétuer, par exemple en mettant sur pied des comités exclusivement féminins. Mais peu importe d'où sort cette idée, les hommes y adhèrent sans prendre la peine de vérifier sa véracité. En affaires, certains acceptent d'échanger des responsabilités afin de laisser des femmes faire affaire avec d'autres femmes. Ils demandent aux femmes de mettre sur pied des groupes ayant pour objectif de travailler sur des questions qui intéressent les femmes ou bien ils confient à une femme le mandat de régler un problème personnel touchant une autre femme. Dans le domaine des ventes et des services, une foule d'entreprises supposent aussi que leurs clientes aiment mieux faire affaire avec une femme.

Ainsi, un grand magasin qui vend des vêtements pour hommes a communiqué avec moi pour me faire part d'un problème. Il y a quelques années, une étude avait révélé que la majeure partie de leur clientèle se composait de femmes, qui magasinaient pour des hommes. «Comme tous nos vendeurs étaient des hommes, nous avons décidé d'engager des femmes.» Le problème? Cette politique a échoué. Les vendeuses avaient *plus* de difficulté à vendre la marchandise aux femmes. Les clientes qui entraient dans le magasin semblaient même les éviter.

J'ai indiqué aux dirigeants de l'entreprise qu'ils étaient peut-être aux prises avec un point aveugle. Je leur ai suggéré d'organiser des groupes de consultation constitués de femmes et de bien structurer leurs questions. Après avoir formé ces groupes, ils ont demandé aux femmes: «Nous avons supposé que les femmes n'aiment pas faire affaire avec un homme lorsqu'elles font leurs achats. Est-ce vrai?»

Trouver le point aveugle

Cette idée était en partie vraie. Les clientes ont dit qu'effectivement elles n'aimaient pas faire affaire avec des vendeurs masculins, parce que ceux-ci ne savaient pas comment s'y prendre avec elles. Mais elles ont affirmé à plusieurs reprises qu'elles ne tenaient pas à être servies par des femmes. «Nous voulons simplement que les vendeurs nous prennent au sérieux», ont-elles expliqué. Elles ont ajouté que si les vendeurs savaient mieux s'y prendre avec elles, elles préféreraient alors conlure leurs achats avec des hommes plutôt qu'avec des femmes, parce que cela leur permettrait d'avoir une opinion masculine sur les vêtements. «Montrez à vos vendeurs comment servir les clientes», ont dit les femmes.

Il se passe souvent des années avant qu'une entreprise se rende compte qu'elle est aux prises avec des points aveugles. Pourquoi? Parce que les entreprises investissent parfois de vastes sommes sur la base d'idées fausses et qu'ensuite elles ne veulent pas voir ces points aveugles. La direction du magasin pour hommes avait engagé des vendeuses en se disant qu'elle résoudrait ainsi son problème et elle ne voulait pas tout recommencer.

Les femmes préfèrent-elles faire affaire avec d'autres femmes et s'occuper de questions qui intéressent seulement les femmes? Non. Quelle que soit l'entreprise où elles travaillent, les professionnelles ne veulent pas se retrouver dans des ghettos féminins.

« Les femmes ne veulent pas faire un travail trop ardu ni faire affaire avec des clients difficiles »

Ce que les hommes supposent

Les hommes ont tendance à cultiver les deux idées suivantes en ce qui concerne les clients difficiles : primo, ces clients préfèrent faire affaire avec un homme ; deuzio, les femmes ne veulent de toute façon pas s'en occuper. Dans ce cas-ci, c'est le processus de socialisation du jeune garçon qui est responsable de ces préjugés. En effet, les petits garçons apprennent à ne jamais se battre avec les petites filles ; ils grandissent donc en se disant que les femmes sont incapables d'être dures et qu'elles ne le veulent de toute façon pas. Cette attitude domine particulièrement dans les domaines traditionnellement masculins, comme la police. Je l'ai constaté dans un atelier que je donnais aux employés du service de police de Los Angeles ; les femmes étaient systématiquement reléguées aux fonctions peu à risque, comme la circulation ou le travail de bureau. Les tâches ardues revenaient aux hommes.

La mentalité liée au « client difficile » est encore plus courante. Bob, directeur d'un cabinet-conseil international, m'a raconté qu'il évitait d'envoyer des femmes négocier avec certains clients. « J'ai un client au Moyen-Orient ; je ne peux confier à aucune de mes collègues le mandat d'aller travailler avec lui ; j'agis ainsi pour le bien du client autant que pour celui de la femme. Il s'opposerait à l'idée de travailler avec une femme et elle en paierait le prix. » Bob répétait qu'il ne jugeait ni le comportement du client en question ni celui des femmes. Il essayait d'éviter cette situation, disait-il, pour des raisons pratiques. Mais une de ses collègues, Mary, avait toutes les compétences nécessaires pour travailler avec ce client, puisqu'elle avait déjà été membre d'une équipe ayant participé à un projet pour lui.

Trouver le point aveugle

Bob était aux prises avec deux points aveugles : le premier concernait le client, et le second, Mary. J'ai souligné ce fait à Bob en lui posant cette question : « Serait-il possible que vous ayez des idées toutes faites au sujet de votre client et de Mary ? » Bob était certain que ce client ne portait aucun respect aux femmes. Je lui ai alors posé la question suivante : « Qu'est-ce qui vous fait penser qu'il réagira avec Mary comme il réagit avec sa secrétaire ? »

Bob m'a dit qu'il était prêt à vérifier ses idées. Il a donc demandé à Mary: «J'ai supposé que tu ne voudrais pas travailler avec ce client. Ai-je raison?»

La réponse de Mary l'a surpris: «J'adorerais travailler avec ce client. Je connais à fond ce dossier et son entreprise. Je sais ce dont il a besoin. Ce serait un défi extraordinaire.» Puis elle a ajouté: «Je sais aussi par expérience qu'il ne traite pas toutes les femmes comme sa secrétaire.»

Bob a ensuite décidé de vérifier auprès du client s'il préférait travailler avec des hommes. Il lui a dit: «Je crois avoir la personne tout indiquée pour être chef d'équipe de ce projet. J'hésite parce qu'il s'agit d'une femme et que je sais que vous devrez travailler beaucoup ensemble. J'ai supposé que vous ne seriez pas à l'aise.» Bob a ensuite précisé qu'il s'agissait de Mary.

La réponse du client? «Oh, Mary! Je me souviens d'elle. J'adorerais travailler à nouveau avec elle.» Ce client trouvait qu'elle avait fait un travail remarquable dans le passé et il adorait son style. Bob a alors décidé de confier à Mary le mandat en question.

En supposant que les femmes ne veulent pas prendre de risques, les hommes se retrouvent avec un énorme point aveugle. Les femmes aiment les défis autant que les hommes. Celles qui ont le courage de se lancer dans des domaines non traditionnels ont certainement des dispositions pour prendre des risques. Elles peuvent, comme les hommes, faire affaire avec des clients difficiles si nécessaire; de plus, elles sont souvent capables de bien comprendre ces clients et de leur proposer des solutions à des problèmes très délicats.

Les points aveugles des femmes

Les hommes ne sont pas les seuls à porter des jugements stéréotypés sur les personnes du sexe opposé. Les idées toutes faites des femmes engendrent aussi des points aveugles.

«Les hommes aiment le statu quo»

Ce que les femmes supposent

Un certain nombre de femmes, surtout celles qui sont au stade de la dénégation, pensent que les hommes ne sont prêts à accepter aucun changement. Elles se disent que le «modèle de gestion traditionnel» et le milieu de travail traditionnel satisfont davantage les hommes. Elles croient aussi qu'au fond la plupart des hommes préféreraient retourner au bon vieux temps, avant que les femmes n'envahissent le marché du travail.

Christine, directrice des ressources humaines d'une banque d'affaires, essayait depuis des années d'aborder certaines questions liées à la problématique hommes-femmes au travail, mais elle disait qu'elle ne réussissait même pas à lancer la discussion sur ce sujet. Son explication? «Les hommes veulent simplement que les choses restent telles quelles. Si je veux réussir à faire changer certaines choses, je devrai partir et aller essayer ailleurs.»

Christine croyait qu'il s'agissait d'un fait, mais en réalité, elle était aux prises avec des idées toutes faites fondées sur certaines de ses observations. Ainsi, à la suite de plusieurs cas de harcèlement, elle avait eu le mandat d'aborder cette question avec 15 cadres supérieurs, tous des hommes. Durant ces réunions, dès qu'elle avait essayé de discuter de harcèlement ou d'égalité d'accès à l'emploi, elle avait senti la résistance des hommes. «Les hommes ne discuteront pas d'eux-mêmes de la problématique hommes-femmes, expliquait-elle. Ce sujet n'est jamais à l'ordre du jour.» Elle avait d'ailleurs entendu certains de ses collègues plaisanter sur «le bon vieux temps». «J'abandonne», m'a-t-elle confié.

Trouver le point aveugle

Christine était aux prises avec un point aveugle. Il n'existe peut-être plus qu'un homme sur mille qui aimerait vraiment retourner au bon vieux temps. Toutes les enquêtes menées par les services des ressources humaines des entreprises indiquent que les hommes, et en particulier – mais pas uniquement – les jeunes hommes, veulent du changement. Une enquête récente menée par Du Pont a montré que 62% des hommes sondés font passer la qualité de vie avant l'argent ou une promotion.

J'ai donc incité Christine à vérifier l'idée qu'elle s'était faite. Je lui ai demandé: «Serait-il possible que votre idée soit fondée sur le filtre "les hommes ne se soucient de rien"?» Ce n'est qu'au bout d'une année qu'elle a décidé de réfléchir à cette possibilité. «Je suppose depuis longtemps que vous ne voulez pas voir les choses changer, a-t-elle déclaré au cours d'une réunion avec les 15 cadres. Nous ne discutons que de sujets comme les moyens de garder les actionnaires heureux, les profits nets et la croissance. Nous n'abordons jamais la question de l'ambiance au travail. Est-il vrai que personne ici ne s'en préoccupe ? »

La réponse a été retentissante : « Non ! » Sur les 15 cadres, 14 voulaient vraiment voir les choses changer. Selon eux, le milieu de travail de la banque était hostile et il y avait trop de jeux de pouvoir, trop de comportements condescendants et trop de dénigrement entre collègues.

« Alors, pourquoi n'abordons-nous jamais ces questions durant nos réunions ? » a demandé Christine. Leur réponse l'a prise au dépourvu : « Elles ne sont jamais à l'ordre du jour. » Durant les réunions, les cadres se sentaient obligés de s'en tenir aux sujets à l'ordre du jour. Ils étaient conscients des problèmes liés au milieu de travail. Beaucoup d'entre eux avaient lu sur le harcèlement et avaient réfléchi à la question. Beaucoup désiraient un environnement de travail plus diversifié où chacun se sentirait mieux intégré. Plusieurs craignaient que la banque ait la réputation de tolérer le harcèlement et espéraient régler la situation, mais ils ne savaient pas comment s'y prendre. Leur tendance à demeurer concentrés sur les objectifs et les priorités les amenait à s'en tenir aux sujets à l'ordre du jour.

Christine était aux prises avec un point aveugle. Elle pensait que les hommes ne se souciaient pas de cette question, alors qu'ils se comportaient seulement selon le style normal et naturel des hommes : en toute logique, ils suivaient l'ordre du jour. Lorsqu'elle a mis à l'ordre du jour le sujet « milieu de travail », les cadres ont été heureux d'apporter leur collaboration et de discuter des problèmes qu'ils avaient remarqués.

« Les hommes sont insensibles »

Ce que les femmes supposent

Au travail, les femmes voient régulièrement des situations où les hommes ne réagissent pas de la bonne façon, selon elles. Par exemple, si une femme se fait critiquer au cours d'une réunion, elle dira ensuite : « Untel aurait dû m'appuyer. » Que concluent les femmes dans ce genre de situation ? Que les hommes sont « insensibles ». Les femmes se plaignent parce que les hommes ne remarquent pas leurs réactions. Après avoir vécu une expérience difficile au travail, les femmes disent que les hommes continuent comme si rien ne s'était passé.

Peggy, une infirmière, est tombée dans ce piège. Elle travaillait avec Léo, un chirurgien. Durant 10 ans, elle l'a vu rendre visite aux patients et leur fournir des renseignements sur leur opération ou leur état de santé. Son approche pratique et détachée donnait à Peggy l'impression qu'il manquait d'empathie. En tant qu'infirmière, elle avait l'impression de devoir, une fois le chirurgien parti, ramasser les pots cassés sur le plan émotionnel.

Trouver le point aveugle

Un jour, Léo a dû opérer une adolescente de 16 ans qui avait été victime d'une blessure par balle. Après l'intervention, Léo a fondu en larmes dans la salle d'opération. Peggy a pu constater que Léo n'était pas aussi insensible qu'elle l'avait cru. Lorsqu'elle lui a demandé pourquoi il n'avait encore jamais laissé voir ses émotions, il lui a répondu qu'il le faisait, mais toujours en privé et jamais au travail. En fait, lui a-t-il expliqué, il se débarrassait de la plus grande part de ses frustrations en faisant 10 kilomètres de jogging par jour. « C'est ainsi que j'évacue mes émotions », a-t-il ajouté.

La plupart des hommes sont plus sensibles qu'ils ne le laissent voir. Il s'agit d'un énorme point aveugle pour les femmes ; elles interprètent le détachement apparent des hommes comme une absence de sentiment ou de l'insensibilité. Léo était sensible, mais il ne l'exprimait pas ; Peggy a alors supposé qu'il ne vivait aucune émotion. Le piège dans lequel elle était tombée était de tenir pour acquis que Léo était froid et sans cœur, alors qu'il ne faisait que maîtriser ses émotions, une réaction classique chez les hommes. Il respectait ses patients en ne leur faisant pas porter le poids de ses propres sentiments.

Que se passe-t-il ? Les hommes ont des émotions, mais ils ne les vivent pas comme les femmes. Ils apprennent dès leur plus jeune âge à ne pas les exprimer. Dans les milieux de travail traditionnels, ils ont aussi appris à rester impersonnels et à adopter une attitude détachée et rationnelle pour régler les problèmes. Autrement dit, toute leur vie, les hommes se font dire de gérer leurs émotions. C'est donc ce qu'ils font. Les femmes doivent comprendre cela avant de tirer la conclusion qu'ils ne se soucient de rien.

«Les hommes se croient meilleurs que les femmes»

Ce que les femmes supposent

Les femmes qui travaillent en équipe avec des hommes ou qui ont des associés masculins se plaignent souvent de ceci: lorsque les listes de tâches ont été dressées pour un projet, les hommes s'accaparent automatiquement celles qui sont les plus prestigieuses. Elles poursuivent: «Les hommes veulent être sous les feux de la rampe et ils nous laissent le travail d'arrière-plan, comme effectuer les recherches et prendre des notes!» Cette façon d'agir donne aux femmes l'impression que les hommes croient être meilleurs qu'elles.

Lucinda et Alan, deux associés dans une société informatique, vivaient cette situation. Selon Lucinda, chaque fois qu'elle et Alan tenaient leur réunion des ventes hebdomadaire pour établir leurs objectifs et leurs tâches, elle prenait le temps de réfléchir aux tâches qu'elle pourrait le mieux accomplir avant d'arrêter son choix. Entre-temps, toutefois, Alan était allé de l'avant et avait choisi toutes celles qui lui convenaient. Il finissait par faire les présentations devant les clients, préparer les dossiers commerciaux et organiser avec les clients des séances de remue-méninges pour trouver les marchés auxquels étaient destinés les nouveaux produits. Lucinda se retrouvait avec le travail d'arrière-plan et de recherche. Selon elle, Alan lui transmettait un message direct: il la croyait incapable d'exécuter les tâches de premier plan. Elle supposait même qu'Alan craignait de lui laisser ce travail pour éviter de ramasser les pots cassés si jamais elle commettait une erreur. «Alan me croit incapable d'accomplir quoi que ce soit; il ne me laisse donc prendre aucun risque», disait-elle.

Trouver le point aveugle

J'ai encouragé Lucinda à vérifier si elle n'était pas aux prises avec un point aveugle. Au cours de la réunion suivante, elle a demandé à Alan: «J'ai l'impression que tu crois que je suis incapable d'exécuter les tâches de premier plan avec les clients.» Toute une surprise attendait Lucinda. Alan ne doutait pas un instant qu'elle puisse effectuer ce travail. Il ne se rendait tout simplement pas compte qu'il s'accaparait toutes ces tâches et la laissait dans l'ombre.

Comment Alan pouvait-il ne pas se rendre compte de la situation? C'est qu'il n'agissait qu'en suivant son instinct. Comme nous l'avons vu, les hommes sont naturellement portés vers l'action et les résultats. Alors que le sentiment de satisfaction des femmes provient d'autres éléments, comme bâtir des relations, le sentiment de satisfaction des hommes est principalement lié aux résultats qu'ils obtiennent. Il s'agit là d'un énorme point aveugle pour les femmes: elles croient que les gestes des hommes cachent quelque chose.

En privé, les hommes révèlent leurs véritables sentiments à l'égard des capacités des femmes. En réalité, ils croient souvent que leurs collègues féminins feraient le travail encore mieux qu'eux. Voici ce qu'ils affirment: «Les femmes s'expriment mieux et savent mieux s'organiser que les hommes. Elles font ce qui leur est assigné et arrivent aux réunions mieux préparées.»

Ainsi, lorsqu'elles supposent que les hommes les croient incapables d'accomplir certaines tâches, les femmes sont aux prises avec un énorme point aveugle. Le fait, pour les hommes, de se conformer à leur propre style (axé sur l'action) ne signifie pas qu'ils considèrent les femmes comme incompétentes. Ils ne font qu'adopter un comportement qui est naturel pour eux. Les femmes doivent comprendre la situation et ne pas se laisser abattre. Elles doivent savoir se défendre et s'assigner les tâches qui les intéressent au lieu d'attendre de se les faire offrir.

Comment devez-vous vous y prendre pour vous défaire de vos idées toutes faites? En pratiquant l'écoute active. Grâce à cette technique, vous vous trouverez à vérifier le bien-fondé de vos idées avant de tirer des conclusions hâtives sur la façon d'agir des personnes du sexe opposé. Comme nous l'avons vu, vous risquez souvent d'être aux prises avec un point aveugle, ce qui peut mener à de terribles malentendus.

Évidemment, il arrive qu'il soit trop tard pour éviter certains malentendus liés aux différences hommes-femmes. Lorsque les malentendus ne sont pas réglés, ils peuvent engendrer encore plus de tension entre les employés et finir par dégénérer en conflits, et parfois même en harcèlement. Nous aborderons ces sujets aux chapitres 10 et 11. Vous apprendrez aussi comment faire pour résoudre ce genre de conflits. Mais, tout d'abord, nous devons reconnaître et comprendre nos forces.

9

Comprendre nos forces

Les hommes et les femmes sont très différents les uns des autres. Dans les chapitres précédents, nous avons constaté à quel point les différences sont marquées. Nous n'avons pas la même vision du monde. Nous ne parlons pas le même langage. J'ai déjà évoqué les difficultés qui surviennent lorsque nous ne comprenons pas à quel point les personnes du sexe opposé sont différentes de nous, et j'ai expliqué ce que nous pouvons faire pour surmonter ces difficultés et améliorer nos relations professionnelles.

Sachons qu'il peut être vraiment intéressant pour toutes les entreprises de tirer profit des différences entre les hommes et les femmes. Ces différences peuvent en effet constituer une force énorme. Reprenons les exemples du début de ce livre : Sandra, l'avocate, et Nathan, le directeur du Body Shop ; tous deux avaient des compétences que leurs collègues n'avaient pas su reconnaître. Si ces collègues avaient su comment exploiter ces compétences, ils auraient constaté à quel point ces deux employés étaient précieux.

Sandra savait établir de bonnes relations avec ses clients. Elle pouvait voir les problèmes sous des angles que peu de ses collègues masculins réussissaient à imaginer. Quant à Nathan, il était capable de respecter un ordre du jour, de mener des réunions à bonne fin et de se mettre à l'action. Il arrivait à trouver la racine d'un problème alors que ses collègues s'attardaient à des détails.

Le grand défi dans le monde du travail aujourd'hui est de réussir à créer un environnement permettant aux hommes comme aux femmes de s'épanouir.

Pour y parvenir, il s'agit simplement d'apprendre à connaître les forces des uns et des autres et de découvrir comment les exploiter.

Les hommes et les femmes abordent différemment presque toutes les activités qu'ils ont la responsabilité d'accomplir chaque jour. Chaque approche peut être valable. Parfois, la méthode des femmes donnera de meilleurs résultats, et parfois, ce sera celle des hommes. Il s'agit d'apprendre à faire preuve de flexibilité. Il faut cerner les différences, puis établir les avantages de chaque approche pour une situation donnée.

Voici quelques domaines où l'approche et le style de travail des hommes et des femmes diffèrent. Apprenez à repérer ces différences et à les utiliser à votre avantage. Les résultats vous surprendront.

Les styles de gestion

En général, les femmes ont un style de gestion axé sur le consensus, ce qui favorise les relations aussi bien que l'atteinte d'objectifs précis. Elles ont tendance à faire participer tous les membres de leur équipe. Parce qu'elles visent le consensus, elles vont demander l'opinion de chacun avant de prendre une décision. Pour diriger leurs employés, les femmes ont tendance à leur proposer divers modes d'action.

Quant aux gestionnaires masculins, ils se voient essentiellement comme des capitaines. Ils prennent des décisions de façon unilatérale, puis tentent de convaincre les autres de souscrire à leur vision des choses. En général, les hommes adoptent un style axé sur l'atteinte d'objectifs. « Réalisons telle chose », disent-ils. Au lieu de proposer un mode d'action, ils ont tendance à diriger en disant à leurs employés quoi faire.

Les avantages des deux approches

L'approche participative des femmes est très efficace dans les séances de remue-méninges et lorsqu'il faut trouver des idées innovatrices. Le style masculin, quant à lui, est plus efficace dans les situations d'urgence, lorsqu'il faut prendre une décision et la mettre en œuvre rapidement. À retenir : il ne revient pas seulement aux femmes de chercher des idées et aux hommes d'agir. Tous doivent apprendre à imaginer ce que feraient les personnes du sexe opposé dans différentes situations professionnelles.

La résolution de problèmes

En général, lorsqu'elles ont un problème à régler, les femmes cherchent à en examiner tous les aspects avant d'agir. Leur approche est intuitive et contextuelle. Comme nous l'avons vu, les femmes discutent en allant au fond des choses. Elles jettent un œil sur un grand nombre d'idées avant de tirer leurs conclusions. Les femmes cherchent aussi à obtenir le consensus; elles explorent donc les effets qu'auront les solutions proposées sur différentes personnes et sur le reste de l'entreprise. On peut donc dire que les femmes:

- collaborent;
- s'intéressent au long terme;
- prennent en considération un grand nombre de facteurs;
- peuvent jongler avec plusieurs solutions;
- font preuve de flexibilité, de façon que la solution adoptée fasse consensus;
- ne se limitent pas à une méthode; elles sont capables de modifier leur approche au besoin.

Alors que les femmes ont tendance à se concentrer sur le «problème», les hommes mettent l'accent sur la «solution». Pour résoudre un problème, les hommes relèvent leurs manches et s'y attaquent de manière analytique et linéaire. Ils abordent la résolution de problèmes de manière factuelle et détachée, et s'attachent à trouver un plan d'action qu'ils pourront mettre à exécution. Alors que les femmes visent le consensus, les hommes suscitent les débats. On peut donc dire que les hommes:

- jugent les faits;
- discutent;
- s'en tiennent à la situation présente;
- pensent que les facteurs externes sont sans importance;
- cherchent «la» solution;
- s'en tiennent à leur solution;
- considèrent, lorsqu'ils ont trouvé une solution, que la tâche est terminée et qu'ils peuvent la biffer de leur liste.

Les avantages des deux approches

De nos jours, l'approche masculine constitue la norme dans le monde des affaires; elle comporte toutefois ses limites. Les hommes ont avantage à rechercher les commentaires des femmes, puisque celles-ci peuvent faire ressortir d'autres aspects du problème et d'autres manières de le régler. Mais il n'est pas facile pour les hommes d'agir ainsi, car ils ont alors l'impression de perdre du temps; ils deviennent impatients. Par ailleurs, le style masculin n'est pas plus facile à suivre pour les femmes. Beaucoup de femmes croient que les hommes relèvent leurs manches trop vite et prennent des raccourcis. J'invite les gestionnaires à demander à leurs employés et employées d'emprunter, durant une semaine, l'approche de résolution de problèmes du sexe opposé. Les résultats les étonneront.

Les entrevues de sélection

En général, les femmes considèrent les entrevues de sélection comme des occasions de créer des liens. Elles se disent que leur CV se passe de commentaires: s'il fait mention de leurs réalisations, pensent-elles, pourquoi devraient-elles les répéter durant l'entrevue? Les femmes n'aiment pas se louanger et se vanter. Elles considèrent ce type de comportement comme impoli.

En général, les hommes aiment se mettre en valeur durant une entrevue de sélection. Même si leur CV expose leurs réalisations, les hommes aiment en reparler plus en détail. Dans une entrevue, ils n'hésitent pas à mentionner les gens qu'ils connaissent et à affirmer: «L'année dernière, j'ai été le seul à dépasser mes objectifs de ventes.»

Les femmes mentionneront les aspects qu'elles visent à améliorer. Quant aux hommes, ils éviteront à tout prix d'en faire état. Les hommes affirmeront souvent qu'ils sont capables d'accomplir telle ou telle chose, que cela soit le cas ou pas. Ils passeront l'entrevue haut la main en s'affirmant, alors que les femmes vont tempérer leurs réponses; ainsi, elles diront: «Je n'ai jamais participé à ce genre de projet, mais je suis prête à apprendre.» Les femmes vont révéler leur vulnérabilité: elles le font pour être honnêtes et par signe d'intégrité; pour se montrer consciencieuses et équilibrées; pour être crédibles et pour faire la preuve de leur capacité d'autocritique. Les hommes cachent toujours leur vulnérabilité, parce qu'ils la considèrent comme un signe de faiblesse. Ils préfèrent se couvrir.

Voici un élément que les personnes conduisant une entrevue doivent garder à l'esprit: les femmes ne visent pas les mêmes objectifs qu'un homme dans leur recherche d'emploi. Les femmes veulent se faire une impression générale de l'entreprise, savoir comment les employés interagissent entre eux; elles cherchent à découvrir dans quel type d'environnement elles se retrouveront et s'il leur convient. Elles vérifieront si l'entreprise compte dans ses rangs d'autres femmes, quel genre de postes elles occupent et quelles sont leurs relations avec leurs patrons et collègues masculins.

Les hommes évaluent un emploi à partir de faits. Ils se posent les questions suivantes: S'agit-il d'une bonne décision pour moi? Quel sera mon poste? Quel sera mon salaire? Qui sera mon patron? (ou, autrement dit: où vais-je me situer dans la hiérarchie de cette entreprise?)

Les avantages des deux approches

Dans les entrevues de sélection, les différences entre les approches féminines et masculines engendrent d'énormes malentendus. Les hommes supposent souvent qu'une personne de talent aura la personnalité nécessaire pour se mettre en valeur. Mais les femmes à qui des hommes font passer des entrevues d'emploi n'insistent pas sur ce point; ceux-ci se demandent alors pourquoi elles mettent leurs réalisations en sourdine. Certains se demandent même si ces femmes ont falsifié leur CV. Par ailleurs, les femmes se disent qu'une personne compétente peut se permettre de faire preuve de modestie. Elles jugent les hommes en fonction de ce critère. Les femmes ont horreur de voir les hommes chercher à leur en mettre plein la vue. Elles les trouvent arrogants et même vantards. Imaginez les occasions perdues lorsque les hommes et les femmes tirent ces conclusions hâtives!

Il est important que les hommes et les femmes comprennent les attitudes de chacun et veillent à ne pas éliminer de bons candidats à cause de certains malentendus.

Les évaluations du rendement

La majorité des évaluations du rendement suivent la logique suivante: «Vous avez réalisé telle chose, mais il vous faut améliorer tel point.» Cette façon de fonctionner ne convient pas aux femmes. Elles sont déjà bien assez critiques à l'égard de leurs propres défauts. Elles sont toujours à s'analyser et à se dire qu'elles n'en font pas assez, deux habitudes attribuables à leur façon de tout intérioriser. Ce n'est donc pas en pointant du doigt leurs faiblesses qu'on réussit le mieux à motiver les femmes. Les femmes ont besoin de sentir clairement que leurs réalisations sont appréciées. C'est ce qui leur permet de progresser.

Les évaluations du rendement sont bien adaptées aux hommes puisque corriger leurs défauts leur apparaît comme un défi à relever.

La grande différence entre l'attitude masculine et l'attitude féminine est attribuable au fait que les hommes ne se sentent pas visés personnellement lorsqu'ils sont soumis à de telles évaluations, contrairement aux femmes.

Les avantages des deux approches

Les gestionnaires masculins redoutent de faire l'évaluation du rendement de leurs employées, car ils craignent la réaction de ces dernières. Je conseille donc aux hommes de commencer par faire état des forces de la femme et de personnaliser le processus en disant: « J'aime beaucoup travailler avec toi. » Ils peuvent ensuite lui demander de préciser les aspects qu'elle croit nécessaire d'améliorer. Étonnamment, les femmes feront la plupart du temps mention des points que les hommes ont eux-mêmes relevés. Mais les résultats seront plus probants si elles reconnaissent elles-mêmes leurs défauts.

Les difficultés font avancer les hommes, alors que les femmes progressent si elles se sentent valorisées.

Les réunions

Comme je l'ai déjà mentionné, les femmes ne trouvent rien à redire au fait d'ajouter des sujets à l'ordre du jour d'une réunion. Pour elles, il s'agit là d'un geste consciencieux, à la condition, bien sûr, que le nouveau point soulevé s'avère important. Cette forme de liberté permet d'entendre un plus grand nombre de voix et de faire état de nouveaux éléments, de nouvelles recherches ou d'aspects auxquels personne n'avait encore jamais pensé.

Les hommes aiment s'en tenir à l'ordre du jour. Pour eux, il s'agit de la méthode la plus efficace pour conduire une réunion. Comme je l'ai dit, les hommes qui voient les femmes laisser la discussion aller dans toutes les directions ont l'impression qu'elles sont incapables de se concentrer.

Les hommes, comme les femmes, veulent des réunions efficaces. Mais ils ont recours à des approches différentes pour y parvenir. Les hommes font appel à une approche directive, alors que les femmes adoptent traditionnellement une approche axée sur la réflexion: «Quelle sera ma contribution?» La voix des femmes étant souvent aiguë, elles peuvent avoir de la difficulté à projeter une image d'autorité. De plus, malheureusement, les personnes qui parlent le plus fort sont souvent celles qui font le plus entendre leurs idées.

Se faire entendre

Les femmes se plaignent souvent de ne pas pouvoir faire entendre leurs idées. L'ancienne secrétaire d'État américaine, Madeleine Albright, m'a confié un jour qu'il lui arrivait aussi de ne pas réussir à faire prendre ses idées en considération. Puis, si un homme reprenait, presque mot pour mot, ses propos, tout le monde l'applaudissait et le félicitait d'avoir soulevé un point aussi brillant! Si une des femmes les plus influentes que j'ai rencontrées a été aux prises avec ce problème, il n'est pas étonnant que d'autres femmes le soient aussi.

Les hommes sont capables de projeter leur voix et d'avoir l'air déterminés. Dans les réunions, ils ont davantage tendance à monopoliser la conversation que les femmes. Les femmes se confondent plutôt en excuses («Excusez-moi, puis-je…»). Loin de moi l'idée de demander aux femmes de changer de style, mais elles devraient apprendre à structurer leurs remarques, en disant par exemple: «J'ai trois points à mentionner; j'aimerais que vous m'écoutiez jusqu'au bout.» Cette façon de s'y prendre capte l'attention des hommes et celle des femmes. Ou encore: «J'ai une bonne idée. La voici.» Les femmes ne doivent pas se casser la tête à essayer de parler plus fort; elles doivent veiller à structurer leurs propos de façon à attirer l'attention de leur auditoire: «J'aimerais avoir vos commentaires sur ce point» ou «Laissez-moi vous expliquer ceci…».

Les femmes doivent aussi apprendre à ne pas baisser pavillon. Lorsqu'un sujet engendre de la controverse ou de la mésentente, les femmes ont tendance à plier l'échine. Elles font l'erreur de croire que, si un sujet leur tient à cœur, les hommes présents vont le comprendre et le prendre en considération. Elles se disent que le fait de tenir à une idée devrait suffire. Mais ce n'est pas le cas. Elles doivent formuler des demandes précises: «Je demande que telle chose soit faite.» Elles doivent se rappeler que les hommes prêtent attention aux propos et aux directives que formulent les femmes, mais pas aux sentiments que leur inspire un sujet. Autrement dit, les femmes doivent exprimer clairement ce qu'elles veulent.

Présider une réunion

Les hommes aiment prendre des responsabilités et faire bouger les choses. Dans les réunions regroupant seulement des femmes, celles-ci décident souvent d'occuper la présidence à tour de rôle. Les femmes ne se sentent pas tenues de suivre la méthode qui prévaut traditionnellement pour la conduite d'une réunion. Mais les hommes ont de la difficulté à supporter qu'une femme laisse la présidence à une collègue au beau milieu d'une réunion. Les personnes des deux sexes doivent donc s'entendre dès le début de la rencontre sur la méthode à suivre.

Les avantages des deux approches

En réalité, les approches suivies par les hommes et les femmes sont toutes deux acceptables. On peut d'ailleurs les utiliser en même temps. Les hommes et les femmes doivent apprendre à être plus souples et à laisser chacun fonctionner selon sa propre méthode. Une approche intéressante consiste à suivre l'ordre du jour officiel tout en inscrivant au tableau les points que les femmes veulent y ajouter. De cette façon, il est possible d'aborder les sujets auxquels tiennent les femmes, et les hommes ont la satisfaction de suivre un ordre logique. Après avoir mis cette méthode à l'essai, beaucoup d'entreprises ont constaté qu'elle fonctionnait. Non seulement tout le monde a ainsi le sentiment de pouvoir se faire entendre, mais en général, les réunions deviennent plus productives.

La vente

Plutôt que de se «vendre», les femmes se montrent intéressées par leurs clients. Elles aiment créer un climat de confiance et bâtir des relations à long terme. Les statistiques indiquent qu'elles excellent dans l'art de garder leur clientèle. Cela signifie que, même si les femmes ont raté une vente, elles ont le sentiment d'avoir accompli quelque chose. Les femmes considèrent qu'elles ont «gagné» si elles ont réussi d'abord à établir des liens avec leurs clients, puis à obtenir certains résultats.

Les hommes considèrent qu'ils ont «gagné» s'ils ont réussi à obtenir certains résultats. C'est le dénouement qui importe. Ils axent leurs efforts sur la conclusion de la vente. Pour être satisfaits, ils doivent avoir un objectif et l'atteindre.

Les femmes ont davantage le don de comprendre leurs interlocuteurs; ainsi, elles savent si la vente ne se déroule pas bien; elles peuvent alors changer de stratégie pour offrir un autre produit ou poser au client une question ouverte comme: «Puis-je vous offrir autre chose qui répondrait mieux à vos besoins?» Les femmes établissent des relations avec leurs clients, alors que les hommes, eux, veulent les conquérir.

Les avantages des deux approches

Il est bon qu'il y ait un nombre équivalent d'hommes et de femmes dans une équipe de vente, afin que les deux approches puissent être exploitées. Des études indiquent que les femmes savent comprendre les hommes et les femmes, alors que les hommes ne réussissent à bien comprendre que les hommes. Les vendeurs masculins doivent donc prendre exemple sur leurs collègues féminins pour savoir comment se faire comprendre de leurs clientes.

Lorsqu'ils vont ensemble rencontrer des clients, les vendeurs, hommes et femmes, devraient être prêts à adapter leur approche aux personnes avec qui ils traitent. En insistant seulement sur les résultats, les hommes risquent de passer à côté de détails importants concernant les attentes et les besoins des gens. Les femmes peuvent prendre la relève et régler la situation en quelques instants. La difficulté consiste à éviter que les uns et les autres se marchent sur les pieds. Lorsqu'ils évaluent les besoins et les attentes, les hommes et les femmes doivent juger qui est le plus apte à intervenir efficacement et laisser cette personne prendre la relève.

Les hommes doivent se rappeler que les femmes ne cherchent pas seulement à «conclure une vente». Quant aux femmes, elles doivent savoir que cet aspect est celui qui compte le plus pour les hommes.

Déléguer

En général, les femmes ont de la difficulté à déléguer. Elles se chargent de tout. Bien des femmes s'enlisent dans les détails ou du travail de recherche qu'elles auraient pu confier à quelqu'un d'autre. Le résultat? Elles se sentent débordées et surmenées.

Les hommes se sentent très à l'aise de déléguer des tâches à leurs collaborateurs. Ils ont aussi la capacité de savoir simplifier les choses. Ils allègent leur charge de travail en se disant: «Je vais m'en tenir à ces trois tâches.» Les femmes se montrent plus enclines que les hommes à partager l'information, mais elles réussissent moins bien qu'eux à confier à d'autres certaines tâches, en particulier les «corvées». Les hommes ont plus de facilité à déléguer, sans doute parce qu'ils ont appris tôt dans la vie à donner des ordres.

Les femmes apprennent mieux à déléguer lorsqu'un homme leur sert de mentor.

Les avantages des deux approches

Les femmes peuvent apprendre beaucoup des hommes. Elles devraient étudier comment ils s'y prennent pour solliciter de l'aide sans avoir l'impression qu'ils font faire leur travail par d'autres. La plupart du temps, les femmes pourraient obtenir les résultats escomptés tout en simplifiant certaines tâches et en réduisant leur charge de travail. Celles qui apprennent à imiter les hommes et à déléguer sont étonnées de se rendre compte à quel point elles peuvent alléger leur fardeau.

La négociation

Les femmes sont capables de négocier sans exclure qui que ce soit. Elles savent naturellement écouter. Des études ont montré qu'elles conservent cette habileté même en situation de crise. Habiles à négocier en explorant différentes idées, elles demanderont: «Avez-vous examiné la question sous tel angle?» Cette façon de procéder incite les gens à être plus décontractés et plus ouverts aux compromis. En raison du processus de socialisation qu'elles ont connu, les femmes ont en général appris à devenir des conciliatrices. Elles font en sorte que les gens puissent se faire entendre. Elles désamorcent les conflits. Les femmes :

- ont recours à des questions ouvertes du genre : « Que pensez-vous de telle chose ? »
- adoptent un ton cordial pour créer des liens et renforcer une relation ;
- font appel à un style participatif, en disant : « Explorons cette question ensemble. »
- légitiment la position de leur interlocuteur : « Tu vois les choses de telle façon ; je les vois de telle autre façon. »
- font preuve de souplesse ;
- cherchent des solutions où tout le monde sera gagnant et auxquelles tout le monde aura participé. Elles font des concessions.

Les hommes ont tendance à intensifier les discussions. Ils cherchent à se faire l'avocat du diable et abordent la négociation de manière linéaire. Ils la considèrent comme un processus « à bascule » : « Je fais mes demandes. La partie adverse fait aussi ses demandes, et nous finissons par nous entendre. » Les hommes considèrent la négociation comme une façon de se battre pour faire valoir leur position. Ils y entrent avec un objectif en tête et font en sorte de l'atteindre. Les hommes :

- ont recours à des questions fermées et pragmatiques du genre : « Quelles sont vos demandes ? »
- adoptent un ton tranchant pour préciser les points sur lesquels ils se sont entendus ; par exemple : « Jusqu'à maintenant, nous avons décidé telle chose. »
- cherchent à clore la négociation ;
- font appel à un style argumentatif ;
- « s'entendent » pour être d'avis différents.

Les avantages des deux approches

Comme la vente, la négociation est un art délicat. Chaque pays, chaque culture a ses propres règles. Il faut donc être capable d'avoir recours au plus grand nombre de stratégies possible lorsqu'on entame des négociations. L'approche féminine donne souvent de bons résultats, mais celle des hommes est parfois plus efficace. Lorsque des hommes et des femmes se retrouvent ensemble pour négocier, ils doivent être conscients des styles de chacun et être prêts à s'adapter aux circonstances. Il est parfois nécessaire de se cramponner à ses demandes, mais il arrive que la «séduction» soit l'approche à privilégier. Les hommes et les femmes peuvent apprendre les uns des autres en s'observant négocier mutuellement.

Le réseautage

Le réseautage permet aux femmes d'entretenir des relations suivies avec des collègues et de mettre en place des groupes de soutien durables. Il donne aux femmes le sentiment de vivre une certaine cohésion. Les femmes font du réseautage sans objectif particulier. Elles trouvent difficile et impoli de faire partie d'un réseau uniquement pour répondre à des objectifs individuels. Les femmes:

- pensent en fonction du réseau et créent des cercles interreliés;
- développent leurs réseaux, même si elles n'en font pas partie dans un but précis;
- ont souvent le pressentiment que la relation va être fructueuse;
- vont entretenir différentes relations n'ayant souvent pas de liens entre elles;
- font partie d'un réseau simplement pour apprendre.

Les hommes passent souvent d'un réseau à un autre. Pour eux, le réseautage se fait dans un but précis. Il vise une fin en soi. Les hommes veulent se faire des contacts précis pour des raisons précises. Les hommes:

- deviennent membres de clubs pour obtenir un certain statut ou pour créer des contacts dans un but précis;
- cultivent différents réseaux: des amis pour socialiser; des partenaires pour jouer au golf ou aller à la pêche; des connaissances pouvant être utiles en affaires.

Les hommes et les femmes ont tendance à avoir des réseaux «fluides», c'est-à-dire à présenter des gens d'un réseau à des gens d'un autre réseau.

Les avantages des deux approches

Les hommes et les femmes peuvent apprendre beaucoup en observant les réseaux des personnes du sexe opposé.

Le style ouvert des femmes peut parfois leur faire rater de belles occasions. Elles craignent de se montrer trop résolues lorsqu'elles rencontrent des gens, mais elles peuvent se défaire de leurs hésitations en observant comment leurs collègues masculins fonctionnent en réseaux.

Bien sûr, en raison de leur style axé sur les résultats, les hommes se mettent parfois certaines personnes à dos, et en particulier les femmes. En observant les réseaux féminins, les hommes peuvent tirer certains enseignements et apprendre à tisser des liens et à établir des relations à long terme. Ces aspects sont parfois plus importants que les résultats à court terme.

Voici une remarque qui s'adresse à tous, hommes et femmes : les femmes conservent leurs réseaux en gardant un contact personnel avec les autres membres, en leur laissant un message dans leur boîte vocale, en leur envoyant des courriels ou en présentant une personne à une autre. Pour rester en contact, les hommes s'envoient des documents, des articles de journaux ou des noms de sites Internet. Les femmes ne doivent pas s'offusquer si les hommes qui font partie du même réseau qu'elles ne leur téléphonent pas. Pour communiquer, ils leur enverront un article intéressant. Mais les hommes doivent se rappeler qu'un appel personnel permettra de renforcer leur relation professionnelle avec une femme. Cette façon de faire n'exige pas de gros efforts et les résultats seront durables.

Parler en public

Les femmes ont tendance à considérer la présentation d'un exposé comme un dialogue. Elles donnent souvent à leur auditoire l'impression d'être des animatrices et non des présentatrices. Les femmes n'aiment pas avoir l'air autoritaires lorsqu'elles parlent en public. Elles sont plutôt enclines à inviter l'auditoire à participer et à poser des questions. Elles aiment divertir et se montrer captivantes lorsqu'elles parlent.

Les hommes adoptent en général le style affirmatif lorsqu'ils parlent en public : ils présentent leur argumentation, la reformulent, la résument, concluent leur présentation et attendent de se faire applaudir. Les hommes ont tendance à limiter les questions. Au lieu d'inviter leur auditoire à formuler des commentaires, ils préfèrent l'amener à souscrire à leur opinion.

Un stéréotype qualifie un bon orateur: il doit être convaincant et autoritaire, et savoir garder la maîtrise de la situation. Ces qualités se rapprochent surtout de l'approche masculine. Les femmes qui adoptent cette approche sont souvent considérées comme trop volontaires, difficiles à aborder et arrogantes. En revanche, les femmes qui ont fait leurs preuves dans la vie, c'est-à-dire dont l'autorité est reconnue, qui sont des spécialistes renommées ou dont le nom est bien connu, sont libérées de ce carcan et peuvent s'exprimer en toute authenticité. On les considère alors comme des personnes captivantes et curieuses, pouvant susciter le dialogue. On les prend au sérieux.

Que peut faire la femme ordinaire pour enfin être prise au sérieux? Les femmes s'expriment en général très bien; voilà donc une qualité qu'elles doivent exploiter pour établir leur propre crédibilité. Dites: «J'ai un argument absolument indiscutable à vous présenter» ou «J'ai 20 ans d'expérience en...». Vous capterez ainsi l'attention de votre auditoire, sans pour autant adopter un style masculin. En développant votre propre style, vous vous montrerez authentique, captivante et curieuse durant vos présentations en public.

Les avantages des deux approches

Si vous voulez organiser des activités où les participants sont appelés à la fois à écouter et à présenter leur point de vue, faites appel à une femme. D'ailleurs, des études indiquent que le style de présentation traditionnel est devenu impopulaire. Autrement dit, les gens sont fatigués de seulement écouter. Dans ce contexte, l'approche féminine peut être d'un grand secours.

Vous avez sans doute déjà entendu l'adage suivant: «Lorsqu'un homme parle, les gens l'écoutent. Lorsqu'une femme parle, les gens la regardent; s'ils aiment ce qu'ils voient, alors ils vont l'écouter.» Malheureusement, cela est vrai encore de nos jours. Les femmes ont donc un pas de plus à franchir pour se faire écouter et être considérées comme crédibles lorsqu'elles parlent en public. Le style «participatif» des femmes ne les aide pas nécessairement dans toutes les situations. Elles ont donc aussi avantage à observer le style masculin.

L´important est d´évaluer la nature des présentations à faire et d´adopter le style qui convient à chaque situation.

Les promotions

En général, les patrons octroient des promotions aux personnes qui leur ressemblent. Cette attitude est caractéristique des femmes autant que des hommes, sauf que jusqu'à tout récemment les promotions étaient essentiellement accordées par des hommes. Par conséquent, ils ont donné des promotions à d'autres hommes en fonction de leur *potentiel,* et ils ont promu des femmes en fonction de leurs *réalisations.* Les hommes n'agissent pas ainsi délibérément. Ils le font pour conserver leur «zone de sécurité».

Comme les hommes forment souvent des réseaux avec d'autres hommes, ils n'apprennent pas à connaître leurs collègues féminins. Pour régler ce problème, ils n'ont pas à abandonner leurs réseaux; ils peuvent soit inviter les femmes à en faire partie, soit apprendre à sortir de leur zone de sécurité et à devenir membres de réseaux comptant des femmes. C'est seulement ainsi que les hommes vont apprendre à mieux connaître les femmes et à comprendre les forces uniques qu'elles apportent au monde du travail.

Les entreprises et leurs dirigeants doivent relever le défi d'être plus inclusifs et ce, non seulement au moment de l´embauche des employés, mais aussi au moment de leur accorder de l´avancement. Pour y parvenir, ils doivent élargir leurs horizons en évaluant les qualités que doit posséder un employé pour être un «bon» candidat pour tel ou tel poste. Avant d´offrir de nouvelles responsabilités à un de vos collaborateurs, analysez votre motivation profonde : avez-vous choisi cette personne parce qu´elle vous ressemble ou parce qu'elle a, objectivement, toutes les compétences nécessaires pour occuper le poste? Si vous basez votre décision sur la ressemblance, vous vous limitez. Comme nous l'avons vu, la différence constitue une force.

Tenir compte du point de vue de l'autre

C'est grâce à un ancien client que j'ai appris qu'il y avait des avantages à combiner les points de vue masculin et féminin. Avec le recul, je peux affirmer que cette découverte a eu une influence énorme sur ma vie, au point de me pousser à accomplir le travail que je fais actuellement.

Tout a débuté par un incident assez banal. Je travaillais depuis quelques mois à un contrat de vente pour ce client. Au début, je croyais entretenir une excellente relation avec les employés de son entreprise, mais j'ai fini par en douter. Plus je travaillais et plus ils me demandaient d'effectuer des tâches qui ne faisaient pas partie de notre entente initiale. Un jour, alors que j'étais prête à exploser, je suis allée chercher un peu de sympathie auprès d'un collègue masculin. Le comportement de mon client et de ses employés commençait vraiment à m'offenser. «Pourquoi pensent-ils qu'ils peuvent profiter de moi ainsi?» ai-je demandé à mon collègue.

Celui-ci jetait un œil bien différent sur la situation. Plutôt que de sympathiser avec moi, comme je m´y attendais, il m'a dit: «Je ne crois pas qu'ils veulent délibérément profiter de toi. Je crois plutôt qu'ils sont très satisfaits de ton travail. Au lieu d'être en colère contre eux, pourquoi ne refais-tu pas le contrat en y apportant une modification qui permettrait de rémunérer tes heures supplémentaires?» J'ai suivi son conseil; j'ai donc envoyé au client par télécopieur le nouveau contrat. Il a accepté mes conditions. En une demi-heure, le problème était réglé. Je me suis ainsi sans doute épargné des semaines et même des mois de questionnement. Cette solution a probablement aussi sauvé ma relation avec ce client.

Il peut parfois être utile, pour les hommes comme pour les femmes, de demander son avis à une personne du sexe opposé. Comme les hommes sont moins enclins que les femmes à se sentir visés personnellement, ils peuvent parfois remonter le moral de leurs collègues féminins en leur offrant un point de vue différent sur une situation donnée. Lorsque je me sens dépassée par les répercussions d'un problème, je me tourne souvent vers des collaborateurs ou collègues masculins; ils m'aident alors à cesser de me demander si tout est de ma faute. Ils m'aident à arrêter de ruminer et à trouver des solutions.

Un point de vue féminin peut aussi être utile aux hommes. Un ancien client, chef de service chez IBM, m'a confié qu'il ne prenait jamais de décision importante sans d'abord consulter au moins deux femmes. «Le mode de pensée multiple des femmes m'aide à envisager toutes les répercussions d'un problème; je peux ensuite juger si telle solution sera efficace», m'a-t-il dit.

Des clients m'appellent souvent pour me parler des découvertes que le point de vue d'un collègue masculin ou féminin leur a permis de faire. Ainsi, un gestionnaire d'une société de placement m'a confié que les recommandations de deux collègues féminins lui ont évité de commettre une erreur monumentale. Ces deux femmes étaient membres du conseil de direction de la firme lorsqu'une jeune entreprise point-com a approché mon client pour obtenir du financement. Les jeunes entrepreneurs lui ont offert un dîner bien arrosé et lui ont présenté un plan d'affaires détaillé. L'idée lui plaisait, mais les deux femmes membres du conseil étaient hésitantes. Elles affirmaient que quelque chose clochait. Elles ne pouvaient mettre le doigt exactement sur le problème, mais un aspect des relations qu'entretenait l'entreprise avec d'autres firmes n'allait pas. Les autres hommes membres du conseil croyaient qu'il n'y avait pas matière à s'inquiéter, mais mon client a eu la sagesse de laisser aux deux femmes le temps de vérifier leur intuition.

Tout en faisant valoir le nombre de contrats qu'ils avaient déjà obtenus avec de grandes entreprises, les jeunes entrepreneurs parlaient de ces contrats de manière évasive. Les deux femmes ont donc décidé de téléphoner aux clients pour vérifier si cette entreprise point-com travaillait déjà avec eux. En fait, 8 des 10 projets mentionnés dans le plan d'affaires de la jeune entreprise n'avaient pas été signés. La recherche exploratoire des deux femmes a permis à la société de placement d'éviter de perdre beaucoup d'argent.

Par ailleurs, un avocat m'a déjà raconté que le Barreau avait mis sur pied un projet visant à faire connaître à ses membres les cabinets d'avocats ayant su promouvoir de manière exemplaire l'égalité des sexes. Le Barreau a automatiquement mis l'accent sur les grands cabinets, croyant ainsi attirer l'attention de ses membres. Mais plusieurs femmes participant à ce projet, celles qui avaient vraiment fait leurs devoirs, ont souligné qu'en fait 90% des cabinets d'avocats étaient de petits cabinets. Elles en ont déduit que donner l´exemple de petits cabinets serait plus significatif auprès de la majorité des firmes et des avocats.

Bien sûr, une médaille a toujours deux côtés. Le mode de pensée multiple des femmes peut parfois les mener à une impasse et les empêcher de trouver la solution à un problème. La réflexion peut être un bon moyen d´examiner le problème sous de nouveaux angles, mais elle peut aussi le rendre d'une complexité affligeante. Les femmes qui se retrouvent dans ce genre de situation vont en général chercher conseil auprès de leurs collègues. Si ces collègues sont des hommes, ils sont souvent prêts à leur proposer des solutions. Mais, comme nous l'avons vu, cette façon de faire échoue en général avec les femmes, car elles interprètent ce comportement comme arrogant.

Je recommande aux femmes de prévoir ce genre de réaction de la part des hommes et d'en tirer le maximum. Elles doivent se rappeler qu'un homme qui leur propose une solution leur livre une « marchandise » de qualité. Le point de vue des hommes permet aux femmes de mettre fin à leurs réflexions interminables et d'agir au moment opportun.

Transformer les différences en forces

En réalité, nous ne pouvons nous permettre de continuer à utiliser le modèle de gestion traditionnel que j'ai décrit au chapitre 1. Il a bien fonctionné par le passé mais il ne convient plus. Les entreprises doivent apprendre à faire preuve de plus de souplesse et à comprendre les différences qu'il y a entre les hommes et les femmes. Elles doivent ensuite tirer profit de ces différences, notamment en valorisant les manières de faire des femmes, au lieu de les considérer comme des obstacles. Daniel Goleman, auteur de *L'intelligence émotionnelle,* souligne que les qualités féminines sont plus nécessaires que jamais dans le monde du travail, car on se fie de moins en moins au mode de pensée linéaire et analytique et de plus en plus à l'intelligence émotionnelle.

Le tableau suivant résume les forces des hommes et des femmes.

Les femmes	**Les hommes**
parlent pour établir des liens	parlent pour faire des comptes rendus
collaborent entre elles	se font compétition
suggèrent	dirigent
intériorisent	extériorisent
sont solidaires	sont individualistes
tiennent compte du contexte	s'en tiennent à des éléments précis
sont souples	sont logiques
sont intuitives	sont terre-à-terre
forment des réseaux pour établir des relations	forment des réseaux pour se faire des contacts
légitiment les positions de chacun	discutent de leur position

Il faut apprendre à avoir recours à l'approche la plus efficace et la plus judicieuse selon les circonstances. Auparavant, les attitudes citées dans la colonne de droite du tableau prédominaient. Lorsque les femmes sont arrivées sur le marché du travail, elles ont tenté de reproduire ces qualités. Quelle perte de talents et d'habiletés! En exploitant les attitudes citées dans les deux colonnes du tableau, on fait toutes sortes de découvertes étonnantes qui profitent autant à l'entreprise qu'à chaque personne.

Les choses changent

Heureusement, bien des entreprises ont appris à tirer profit des forces des deux sexes, ce qui a fait changer leur environnement de travail. Les entreprises ont changé «l'eau de l'aquarium», et leurs employés s'en portent mieux. Changer l'eau pour qu'elle convienne à tout le monde est une tâche énorme qui nécessite un engagement à long terme. Mais je sens que le changement est en cours dans nombre d'entreprises où j'ai travaillé. Avant qu'une entreprise ne commence à se sensibiliser aux différences entre les sexes, les hommes qui y travaillent se montrent souvent circonspects, alors que les femmes ont l'impression qu'elles doivent se battre pour être prises au sérieux. Une fois que les organisations se mettent à véritablement tenir compte des différences entre les sexes, l'environnement de travail devient plus invitant, accueillant et plaisant.

J'ai noté des changements, en particulier dans le domaine des ventes et dans les sociétés d'experts-conseils où j'ai travaillé. Beaucoup d'entreprises dans ces deux secteurs ont tout simplement abandonné leur attitude macho. Elles l'ont remplacée par une culture de «rassemblement». Les employés font désormais équipe et collaborent les uns avec les autres pour régler les problèmes. Ainsi, une de mes entreprises clientes a officiellement mis sur pied des séances de remue-méninges. La règle est que tout le monde, même les nouveaux employés, peut s'exprimer, discuter d'un problème, donner son avis et dire ce qu'il a en tête. Dans une atmosphère de véritable collaboration, les employés se sentent à l'aise et peuvent s'exprimer en toute franchise. Il ressort alors parfois de ces rencontres des idées brillantes dont toute l´organisation peut profiter.

Je peux aussi vous donner l'exemple d'une firme de placement qui a eu l'idée d'un petit changement particulièrement significatif. La première fois que je me suis rendue à cet endroit, la cafétéria était le lieu d'une certaine discrimination: une longue table était réservée aux cadres supérieurs, et personne d'autre ne s'y assoyait, même si elle était vide. À ma dernière visite, cette table avait disparu. Tous les employés faisaient l'effort de s'asseoir avec une nouvelle personne chaque jour. Le président m'a dit qu'il allait de temps en temps s'asseoir avec le concierge, «juste pour avoir une idée de ce qui se passe».

J'invite les dirigeants d'entreprise à lancer la discussion sur les différences entre les sexes. Certains ont trouvé des moyens tout à fait ingénieux de le faire. Ainsi, une entreprise a mis sur pied un système de mentorat et de jumelage mixte. Lorsque des employés veulent obtenir un nouveau point de vue sur une question, ils communiquent avec la personne avec qui ils sont jumelés par courriel ou par téléphone, ou ils la rencontrent pour le lunch. Ils se soumettent des idées, des problèmes et des défis; ils trouvent que ce type d'échange, informel et simple, améliore leur travail. Ils apprennent aussi à communiquer de manière plus efficace avec les personnes du sexe opposé. Par ailleurs, le système de mentorat suit une certaine hiérarchie, le mentor étant un employé expérimenté et occupant un poste plus élevé dans l'échelle administrative.

Certaines entreprises organisent des lunchs mixtes où les employés peuvent échanger leurs points de vue et discuter des différences entre les sexes. Un président que je connais consulte aussi une cadre supérieure et une cadre intermédiaire avant de prendre ses décisions, et ce, simplement pour connaître leurs opinions et idées.

Si vous êtes gestionnaire ou superviseur, vous devez comprendre que, pour réussir à faire adopter un changement, il faut le vouloir vraiment. Les femmes ont souvent l'impression que l'égalité des sexes n'est qu'une idée à la mode. Elles croient que les entreprises où elles travaillent tiennent compte de cette question pour faire comme tout le monde ou parce qu'elles veulent projeter l'image d'entreprises humaines et progressistes. Ces femmes ne croient pas que la volonté de changement soit véritable. Elles ont d'ailleurs souvent raison.

Il est essentiel de transformer une situation où personne n'est gagnant en une situation où tout le monde est gagnant. La sensibilisation aux différences entre les sexes permet à tout le monde de se sentir apprécié. Au fond, c'est ce que chacun veut. Malheureusement, il existe encore certains obstacles qui empêchent les entreprises d'atteindre cet objectif. Dans les deux prochains chapitres, nous allons examiner comment naissent les conflits, comment le harcèlement sexuel peut miner l'environnement de travail et comment il est possible d'éviter ces situations ou de s'en sortir, le cas échéant.

10

Résoudre les conflits entre hommes et femmes

Notre façon de réagir à ce que nous vivons dans la vie est ce qui compte le plus.

Viktor Frankl, *Man's Search for Meaning* (traduction libre)

Les hommes et les femmes ont des approches et des styles différents face au travail. Une fois ces différences comprises, il est facile de les exploiter. Mais quand il y a des conflits en milieu de travail, nous perdons de vue la force que constitue le fait, pour les hommes et les femmes, d'être différents.

Le problème est dû en partie au fait que les hommes et les femmes voient les conflits selon deux optiques différentes. Les femmes considèrent les conflits comme un échec et comme une attaque. Elles voient les choses ainsi, entre autres parce qu'elles intériorisent les conflits et qu'elles se sentent visées personnellement. Pour les hommes, les conflits constituent davantage un combat qu'un échec. Ils ont tendance à considérer un conflit comme un défi ou un concours à gagner. C'est un appel à se battre.

Les hommes et les femmes n'affrontent pas les conflits de la même façon non plus. Les femmes réagissent d'abord en les personnalisant. Elles se demandent : « Qu'est-ce que j'ai fait ? » Quant aux hommes, ils sont enclins à traiter un conflit comme une affaire isolée et impersonnelle. Pour les femmes, c´est la *relation* qui est atteinte. C'est une des raisons pour lesquelles elles abordent les conflits comme une occasion de repartir à zéro, de tisser des liens et de se rapprocher. Instinctivement, les femmes vont fouiller le problème et essayer d'imaginer quels seront les effets du conflit ou de sa solution sur les autres personnes concernées. Les femmes demandent à ces dernières d'aller au fond du problème et de partager leurs sentiments. Les hommes, eux, ont tendance à réagir en faisant valoir leur position, un peu comme ils le font lorsqu'ils négocient. Au travail, ils vont crier leurs ordres de manière autoritaire en ne laissant aucun choix aux personnes avec qui ils traitent.

Qu'ont en commun les hommes et les femmes aux prises avec un conflit? Ils ont les mêmes réactions de base. En effet, les conflits ont toujours le même point de départ: des attentes insatisfaites. Lorsque nos attentes ne sont pas satisfaites, par exemple lorsqu'une personne n'a pas accompli le travail promis ou celui auquel nous nous attendions, nous sommes pris par surprise. Cet effet de surprise provoque ensuite l'une des réactions suivantes: frustration, incertitude, colère. Les hommes, comme les femmes, sont aux prises avec ces réactions de base. Elles sont universelles. Mais, par la suite, les hommes et les femmes prennent des directions différentes.

Nous savons tous ce qui arrive aux hommes surpris par un conflit: ils explosent. Ils cherchent instinctivement et immédiatement une personne ou une chose sur laquelle se jeter pour exprimer leur colère. Ils donnent un coup de poing sur la table ou se mettent à crier. C'est ainsi qu'ils expriment la tension qui les assaille.

Ce type de réaction déconcerte les femmes et leur fait même parfois peur, et ce, parce qu'elles ont tendance à réagir tout autrement. Les femmes «implosent». Lorsqu'elles font face à un conflit, la première question qu'elles se posent est: «Qu'ai-je fait de mal?» Cela ne veut pas dire qu'elles ne sont pas en colère. Les femmes retiennent tout simplement leur réaction pendant qu'elles cherchent à comprendre la situation. Elles réagissent intérieurement. En quelques instants, souvent, elles réfléchissent, ruminent le problème. Puis elles peuvent avoir une réaction émotive qui les pousse parfois jusqu'aux pleurs. Ce type de réaction déconcerte les hommes, qui considèrent les larmes comme un signe de tristesse. Ils me confient souvent que les pleurs les désarment. En réalité, comme nous l'avons vu, au travail, les pleurs sont plutôt un signe de frustration ou de colère.

Bien des experts dans diverses disciplines expliquent ces différences fondamentales en des termes particuliers. Dans son livre *Fighting for Life*, le linguiste

Walter J. Ong souligne que la réaction masculine aux conflits fait partie d'un ensemble de comportements symboliques, comme les concours, la compétition, la lutte et la contestation. Il ajoute que les femmes sont enclines à se battre pour des choses réelles plutôt que pour des objectifs symboliques.

Le paléopsychologue (psychologue culturel) Howard Bloom, auteur de *The Global Brain*, écrit que dans les organisations les hommes passent plus de temps que les femmes à gesticuler, à afficher leur supériorité ou à «se battre pour leur territoire». Il indique que les femmes qui vivent des conflits «étudient la situation de fond en comble, trouvent des solutions et se remettent au travail». Bien que les femmes se concentrent en général moins sur les résultats que les hommes, Bloom affirme que, en matière de conflits, elles sont «davantage axées sur les objectifs et moins politiques».

Attaque ou conciliation ?

On ne peut dire que les femmes craignent les conflits. Mais elles n'aiment pas le conflit pour le conflit. Les femmes me demandent souvent: «Pourquoi devons-nous subir toutes ces controverses au bureau ?» Elles considèrent les controverses et débats comme des «attaques». Elles trouvent aussi que les hommes restent sur leurs positions et se montrent inflexibles lorsqu'ils sont en situation de conflit. Cela est dû au fait que les femmes supposent, dès le départ, que la résolution d'un conflit passe par la conciliation. En général, pour les femmes, gagner n'est pas ce qui compte le plus.

Dans son tout dernier livre, *The Argument Culture*, la linguiste Deborah Tannen écrit qu'au travail les femmes n'arrivent pas à comprendre comment les hommes peuvent se disputer entre eux, puis continuer à travailler comme si de rien n'était. Quant aux hommes, ils sont souvent surpris de constater à quel point une prise de bec bouleverse les femmes. Pour eux, ce genre de chose fait partie du travail. Mais les femmes se disent: «Pourquoi s'en prend-il à moi ainsi ?» Même lorsqu'ils ne sont pas véritablement en conflit, les hommes ont souvent recours à une forme d'opposition rituelle, comme se taquiner, se lancer des injures à la blague ou explorer un sujet en se faisant l'avocat du diable. Cette approche engendre tensions et conflits entre les hommes et les femmes au travail. Bien des femmes préfèrent éviter d'exprimer leur désaccord, car un conflit est pour elles un signe d'échec.

Selon les psychologues John Gottman et Robert Levenson, de l'université de Washington, on peut constater les différences dans la façon dont les hommes et les femmes réagissent aux conflits en observant les changements d'ordre physiologique que ceux-ci provoquent. Tous deux ont demandé à des patients (hommes et femmes) de nommer et d'expliquer un point de désaccord majeur dans leur couple. Pendant que les patients donnaient leur réponse, les psychologues ont enregistré différents paramètres, comme la fréquence cardiaque, le débit sanguin, la température de la peau et les mouvements du corps. Qu'ont-ils découvert ?

Les conflits «réchauffent» littéralement les hommes et les stimulent physiquement. Les femmes subissent moins de changements physiques. Leurs conclusions ? Les hommes ont besoin de s'isoler ou de se calmer lorsque survient un conflit, sinon ils risquent de se sentir accablés et de perdre le contrôle, alors que les femmes peuvent tolérer un conflit plus long et des périodes de crise sans perdre le contrôle[4].

Alors, comment résoudre les conflits ?

La plupart d'entre nous savent comment résoudre des conflits. Nous avons appris qu'il faut «expliquer son point de vue» ou «être clair, logique et direct». Nous passons notre vie professionnelle persuadés qu'il n'y a rien d'autre à faire, certains que ça suffit. Et pourtant, si nous nous mettions à observer ce qui se passe autour de nous et à tenir le compte des conflits dont nous sommes témoins au bureau au cours d'une semaine, nous commencerions à douter de l'efficacité de ces bonnes vieilles méthodes.

Considérant le nombre de fois où on fait appel à mes services dans une semaine pour résoudre des conflits, je peux vous le confirmer: ces méthodes ne fonctionnent pas. Pourquoi ? Parce que nous négligeons tous quelques éléments de base concernant la nature des différends.

Dans les chapitres précédents, nous avons vu que les hommes et les femmes supposent généralement que les personnes du sexe opposé pensent comme eux. Ils ont donc tendance à projeter leurs propres réactions sur leurs interlocuteurs. Dans un conflit, les hommes et les femmes reproduisent ce scénario: ils supposent que tout le monde entend les mêmes mots et parle le même langage. Mais les hommes et les femmes ne parlent pas le même langage. Leurs propos et leurs gestes ne signifient pas nécessairement la même chose. Alors, à moins de chercher à comprendre comment la personne du sexe opposé perçoit nos gestes, notre réaction ne fait qu'empirer les choses.

Cet ensemble de malentendus se produit tout autant à la maison qu'au travail. Brenda, une des mes collaboratrices canadiennes, m'a parlé d'un conflit survenu entre elle et son mari alors qu'ils faisaient à manger ensemble. Leur cuisine n'étant pas très grande, ils ont peu d'espace pour travailler à deux. Mais ce jour-là, les choses allaient rondement. Puis, selon Brenda, à un moment donné, «Jacques s'est cogné la tête par accident sur une porte d'armoire. Comment a-t-il réagi? En claquant la porte et en jurant!» Brenda était déconcertée et peinée. Selon elle, Jacques avait réagi de manière excessive à un accident qui ne résultait que de sa propre inattention. «Pourquoi s'en prend-il à une porte d'armoire pour exprimer sa colère?» À l´instar de la plupart des femmes, Brenda a pris la façon dont son mari a exprimé sa colère comme une attaque personnelle à son égard. Selon elle, Jacques lui a ravi un moment agréable qu´ils passaient ensemble. Ils faisaient tranquillement à manger et il a gâché ce moment par sa réaction excessive. Elle lui a donc fait part de ce qu'elle ressentait.

Jacques ne comprenait pas que son emportement ait pu offusquer et blesser Brenda. Il lui a dit que c'était simplement sa façon de se défouler. «Ça n'a rien à voir avec toi», a-t-il ajouté. Mais Brenda ne l´a pas cru et a continué de se sentir contrariée. Jacques était déconcerté et frustré. Tous deux se sentaient mal compris. Brenda n'en démordait pas: «Ta réaction était excessive.» Et Jacques répétait: «Ça n'a rien à voir avec toi.» Aucun d'eux n'avait l'impression d'être dans la même pièce; c'était pourtant une cuisine minuscule où ils faisaient à manger ensemble.

Voilà un exemple classique de la dynamique hommes-femmes en situation de conflit. Plus les hommes «explosent», plus les femmes «implosent». Lorsque les femmes intériorisent une situation, la frustration des hommes augmente: ils se sentent accusés de quelque chose qu'ils n'ont pas fait à dessein («Ça n'a rien à voir avec toi.»). Lorsque les femmes entendent ce genre de remarque, elles ont tendance à se refermer sur elles-mêmes parce qu'elles se sentent incomprises.

Au travail, ce genre de situation se produit couramment. Ainsi, Marilyn, une de mes clientes, m'a téléphoné pour me faire part d'un conflit — exemple typique de différend entre hommes et femmes au travail. Elle était convaincue que son patron, Ray, tenait à son endroit des propos injurieux. Au moment où elle a communiqué avec moi, elle était sur le point de faire appel à un avocat pour le poursuivre en justice. Je lui ai demandé d'où venait son impression. « Dans presque tous les courriels qu'il m'envoie, il semble véritablement en colère contre moi ! » Marilyn prenait ses messages comme des attaques. Je me disais que Marilyn interprétait sans doute mal le style de Ray. Je lui ai donc demandé de me laisser lire les messages en question. Ils avaient un style véritablement « directif ». Après une brève conversation avec son patron, Marilyn s'est rendu compte qu'elle était aux prises avec une idée toute faite. Ray ne l'attaquait pas, mais son style directif lui donnait cette impression. En une seule rencontre rapide, Marilyn et son patron ont résolu le malentendu. Il est vrai qu'à mesure qu'augmente notre dépendance envers l'électronique, les courriels risquent d'engendrer d'importants problèmes de communication. Essayez d'éviter les différends liés à ce moyen de communication. Prenez le téléphone avant que la situation ne s'envenime.

Dans un conflit, comme dans n'importe quelle situation que nous vivons avec des personnes du sexe opposé, il faut éviter de devenir victime de certaines idées fausses. Pour y parvenir, faisons appel aux étapes SCRA[3].

SCRA

Virginia Satir, psychologue de renom avec qui j'ai travaillé et auteure de *Peoplemaking,* m'a appris une chose intéressante en ce qui concerne les conflits. Elle affirme que la plupart des gens passent par quatre étapes importantes lorsqu'ils vivent un différend : la surprise, la colère, le rejet, l'acceptation. C'est ce que résume l'acronyme SCRA. Toutefois, il arrive que l´un de ces sentiments ne soit pas vécu. Par exemple, la surprise peut céder le pas à l'acceptation sans qu´il y ait de période de colère. Ces réactions sont tout à fait normales ; il ne faut pas en avoir honte. En réalité, il est préférable d'avoir ces réactions et de le reconnaître que de prétendre ne pas les vivre. Nous allons bientôt voir pourquoi.

3 En anglais, SARA, pour : *Surprise, Anger, Rejection, Acceptance.*

Sans s'en rendre compte, la plupart des gens restent bloqués à l'étape de la colère ou du rejet. Les hommes ont tendance à s'enfermer dans la colère et à extérioriser leurs réactions. Quant aux femmes, elles restent bloquées à l'étape du rejet. Rien d´étonnant puisqu´elles ont tendance à intérioriser les conflits.

Le problème? Lorsque les hommes sont aux prises avec un sentiment de colère et les femmes avec celui de rejet, ils renforcent leurs réactions respectives. Les filtres perceptifs sont alors encore à l'œuvre. À l'étape du rejet, les femmes disent: «Ce n'est pas de ma faute!» Cette réponse, que les hommes considèrent comme un reproche, soulève leur colère. Ils se mettent alors sur la défensive, ce qui intensifie le sentiment de rejet des femmes. Celles-ci ont alors l'impression que les hommes ne veulent pas les écouter, ce qui alimente encore davantage leur sentiment.

Cet ensemble de réactions devient un cercle vicieux qui empêche les hommes et les femmes de parvenir à l'étape ultime: l'acceptation. Pourquoi cette dernière étape est-elle la plus importante? Parce que, lorsque nous sommes aux prises avec la surprise, la colère ou le rejet, nous sommes incapables d´agir de façon à résoudre le conflit. Voilà pourquoi il est important de connaître ces différentes étapes et de prendre le temps nécessaire pour passer de l´une à l´autre, jusqu´à parvenir à l'acceptation.

La case reproches

Pour passer à l'étape de l'acceptation, il faut le vouloir. Je dis souvent aux gens: «Ça peut prendre cinq minutes, comme ça peut prendre cinq ans. C'est à vous de décider. Mais vous devez en arriver là.» Comment faire pour passer à l'étape de l'acceptation? La meilleure façon consiste à nous remémorer nos intentions à long terme, que nous oublions généralement dès que nous vivons un conflit. Elles comptent bien plus que le fait d'avoir «raison».

David, un jeune comptable, m'a raconté une anecdote qui illustre parfaitement les raisons pour lesquelles il est important de surmonter les sentiments de colère et de rejet. Le scénario suivant vous rappellera sans doute quelque chose. David était à la tête d'une équipe de 18 comptables qui préparaient la déclaration de revenus d'une grande entreprise. Pendant qu'il était en voyage d'affaires, son chef d'équipe lui a laissé trois messages lui indiquant qu'ils ne réussiraient probablement pas à respecter l'échéance prévue. Ils avaient de la difficulté à obtenir du client l'information dont ils avaient besoin. Sur le chemin du retour, David a pris le dernier message dans sa boîte vocale. C'était un message de son client. Le président de l'entreprise accusait David de manquer de professionnalisme parce que son équipe avait pris du retard. « Nous sommes l'un de vos principaux clients, disait-il. Votre façon de faire nous prouve que vous n'attachez pas tellement d'importance à notre entreprise. »

« J'étais estomaqué, se rappelle David. Je savais que ce n'était pas de notre faute et encore moins de la mienne ! J'étais sur le trottoir et je tenais mon téléphone en faisant les cent pas. J'ai enfoncé la touche de rappel automatique et je me suis défoulé dans sa boîte vocale. Mais ce n'était pas la bonne façon de réagir. » En raccrochant, David savait qu'il avait commis une erreur. « Je me suis arrêté un instant et je me suis rendu compte qu'il y avait sûrement un malentendu quelque part. J'aurais tellement souhaité être capable d'effacer mon message… »

Il s'est avéré qu'un problème de communication était à l'origine de la mésentente. L'équipe de David avait essayé d'obtenir certaines informations du client. Le chef d'équipe lui avait laissé plusieurs messages sans jamais recevoir de réponse. Le client avait reçu les messages, mais il n'avait pas eu le temps d'y répondre ; il était occupé à réunir l'information demandée, ce qui a pris plus de temps que prévu. David ne savait rien de tout cela. Pas plus que le président de l'entreprise. Chacun a constaté le retard et automatiquement supposé que l'autre en était responsable. « Pourtant, ce n'était la faute de personne », a conclu David.

Il y a deux façons de s'y prendre pour régler un conflit. Avant d´arriver à l'étape de l'acceptation, on est pris dans ce que j'appelle la « case reproches ». Il s'agit d'un état « gagnant-perdant » où l'on reste sur ses positions. On tient à avoir raison et à prouver que l'autre a tort. Lorsqu'on parvient à entrer dans la « case résultats », on vise à véritablement résoudre le conflit. On cherche une solution qui rendrait tout le monde content. Pour bien des gens, trouver une telle issue à un conflit est irréaliste ; ils sont convaincus que l'une des parties doit perdre. Cela signifie qu'ils sont à la case reproches.

Lorsqu'on est à l'étape de la surprise, de la colère ou du rejet, on est aussi à la case reproches ; il est alors trop tôt pour agir.

Il est normal de réagir en faisant des reproches. Personne n'aime les conflits et, lorsqu'ils surviennent, on pense d´abord à soi. On veut faire porter le blâme à quelqu'un d'autre. Voilà justement le problème: on cherche à qui revient la faute et non la solution au problème. On dit: «C'est toi ou moi.» C'est une situation à somme nulle, un gagnant et un perdant. «J'ai raison et tu as tort.» La plupart des gens croient pouvoir régler les conflits en discutant. Mais lorsqu'on est à la case reproches, les discussions ne règlent rien; elles ne font que renforcer davantage nos positions respectives.

L'histoire de David en est l´exemple parfait. David était à la case reproches lorsqu'il a pris la décision subite de téléphoner au président et de se défouler dans sa boîte vocale. Se sentant attaqué, David a réagi en attaquant à son tour. Cette façon de faire lui a procuré un soulagement momentané, mais elle n'a pas contribué à résoudre le problème. David a vite compris cela.

Après avoir laissé ce premier message au président, David s'est calmé; il a maîtrisé sa colère et a décidé de chercher une solution qui satisferait tout le monde. David entrait dans l'étape de l´acceptation et, de ce fait, mettait un pied dans la case résultats. Il a donc commencé par vérifier ses idées toutes faites. Il a fait quelques appels pour découvrir comment le malentendu avait pris naissance. Il s'est vite rendu compte que tout le monde avait agi de bonne foi. Il a rappelé le président pour lui expliquer la situation. Ils ont compris que personne n´était en faute et se sont entendus sur une nouvelle date pour la remise de la déclaration de revenus de l'entreprise. Le problème était résolu.

La case résultats: une solution gagnant-gagnant

La seule façon de résoudre un conflit consiste à passer de la case reproches à la case résultats. Pour y parvenir, il faut changer de cadre de référence et chercher, non pas un coupable, mais une solution. Voici cinq conseils qui vous permettront d'y arriver.

1. *Prenez une pause.* Arrêtez-vous et dites: «Je vais te reparler de cela.» Accordez-vous cinq minutes. Isolez-vous, ou allez parler à une autre personne si nécessaire.
2. *Si vous allez consulter une autre personne, assurez-vous qu'il s'agit d'une personne qui vous écoute attentivement.* Ne cherchez pas seulement à obtenir sa sympathie, sinon vous ne sortirez pas de la case reproches. Il

est sage de choisir une personne qui a un point de vue complètement différent du vôtre, peut-être même une personne que vous ne connaissez pas trop. Exposez-lui la difficulté à laquelle vous faites face et expliquez-lui vos attentes.

3. *Vérifiez vos intentions à long terme.* Voulez-vous continuer de travailler avec ce client, ce collègue ou cet associé ? Tenez-vous à ce que le partenariat ou la collaboration se poursuive ? Si la réponse est oui, vous devez alors vous poser quelques questions : Comment pouvons-nous résoudre ce conflit ? Quelle serait la solution idéale pour moi ?
4. *Oubliez qui a tort ou raison et concentrez-vous sur le coût du conflit.* Pour y parvenir, vous devez passer à l'étape de l'acceptation. Vous devez cesser de croire que vous avez raison.
5. *Oubliez vos opinions.* La première étape, pour réussir à résoudre un conflit à partir de la case résultats, consiste à trouver ce que votre interlocuteur considérerait comme une solution « gagnante ».

En général, lorsque nous suivons ces étapes de base, les hostilités cessent et la solution émerge.

L'histoire suivante, survenue dans une firme d'ingénierie, vous montrera comment passer de la case reproches à la case résultats, et à quel point il est facile de trouver une solution lorsqu'on est à la case résultats. Deux personnes sont impliquées dans ce conflit : Gordon, un des associés de la firme, et Sylvia, la directrice des comptes. Un des principaux clients de la firme téléphone à Gordon et insiste pour que le travail demandé soit prêt le lendemain. Encore sous le choc, Gordon va voir Sylvia ; il est 15 h. « Le travail doit être terminé pour demain, lui dit-il. Nous n'avons pas le choix. » Cette demande met Sylvia dans le pétrin. Elle a promis à son mari d'aller chercher les enfants à la garderie à 17 h ce jour-là. « Je vais travailler à ce dossier durant les deux prochaines heures, mais je dois absolument partir à 17 h », répond Sylvia.

La réaction de Gordon ? « Le travail doit absolument être terminé pour demain. »

Sylvia est choquée, mais elle propose un compromis : « Je vais essayer de trouver une gardienne ; si je réussis, je vais revenir travailler au bureau ce soir. Mais je ne peux rien vous promettre. »

Gordon est encore plus en colère et frustré : « Oh, pas encore les enfants ! Il est hors de question d'attendre. J'ai promis au client qu'il aurait ce dossier demain à la première heure. »

Sylvia est blessée par le commentaire sarcastique de Gordon sur les enfants. Ses paroles la mettent sur la défensive. Les conflits de ce genre sont étouffants, parce qu'ils font surgir des frustrations qui montent à la gorge. Ils sont difficiles à désamorcer, parce qu'ils font ressortir des émotions encore inconnues et provoquent des réactions inconscientes. Ce genre de conflit nous met « sur les nerfs ».

Malgré tout, il est possible de régler ce genre de conflit en passant de la case reproches à la case résultats. Dans l'exemple qui nous occupe, Gordon était pris à l'étape de la colère, et Sylvia, à celle du rejet. Après avoir surmonté ces sentiments et être passés à l'étape de l'acceptation, ils ont pu en arriver à une solution. Gordon a commencé par prendre la responsabilité de sa demande, puis il a dit à Sylvia : « J'ai un énorme problème avec ce client ; il insiste pour que le rapport soit prêt demain matin et je lui ai promis que ce serait fait. Y a-t-il moyen d'y parvenir ? »

Les défenses de Sylvia sont alors tombées. L'approche de Gordon lui a permis de passer au mode de résolution de problèmes, c'est-à-dire à la recherche de résultats. Sylvia connaissait le client en question. Elle savait qu'il faisait souvent ce genre de demande de dernière minute. Et elle savait aussi qu'une fois le rapport obtenu, il le laissait traîner des semaines avant d'agir. C'est ce qu'elle a expliqué à Gordon : « Je sais que ce client a toutes sortes d'exigences. Mais je sais aussi que, si je lui parle, il en laissera tomber certaines. En général, la situation n'est pas problématique si nous ne pouvons agir aussi rapidement qu'il le demande. »

En entendant ces paroles, Gordon a compris sa propre réaction à la demande du client. Il a dit à Sylvia qu'il était de la vieille école, celle qui dit que le client a toujours raison. Quant à Sylvia, elle lui a expliqué son point de vue : son équipe ferait du meilleur travail si le client lui accordait un peu plus de temps. « Le résultat global sera meilleur », a-t-elle ajouté. Ils se sont entendus pour que Sylvia travaille quelques heures à la maison durant le week-end et qu'elle termine le dossier au début de la semaine suivante ; en agissant de cette façon, sans bâcler le travail, le client serait sans doute plus satisfait. Ils ont eu raison.

Les conflits entre membres d'une équipe

Un jour, une entreprise qui vendait du matériel de bureau a fait appel à mes services pour régler un de ces conflits «étouffants» entre trois représentants. Le conflit avait germé lorsque les trois représentants – deux femmes et un homme – étaient allés faire une présentation à un client potentiel. L'enjeu était considérable. L'entreprise n'avait encore jamais obtenu de contrat aussi important. Greg a fait la présentation, mais le client ne leur a pas accordé le contrat. C'est à ce moment que le conflit a pris naissance. Les deux femmes, June et Caroline, reprochaient à Greg d'avoir fait rater toute l'affaire.

Greg ne croyait pas qu'il avait eu tort. Il disait qu'il avait fait son travail. Voici sa version: il faisait une présentation devant un cadre supérieur et trois femmes qui travaillaient sous ses ordres. Greg a suivi son instinct. Sans même y penser, il s'est surtout adressé au cadre supérieur. «Je lui ai fourni des faits. Je lui ai dit que nous offrions le meilleur produit sur le marché au meilleur coût possible, et ce, avec une garantie de satisfaction. J'ai fait du bon travail.» Greg n'avait pas la moindre idée de ce qui avait pu clocher.

Mais June et Caroline le savaient! Elles affirmaient que Greg avait fait fausse route à partir du moment où il avait ouvert la bouche. «Il était évident que c'était les femmes qui prenaient la décision, ont-elles expliqué. Et Greg ne leur a pas prêté la moindre attention.» Leurs compétiteurs avaient adopté une approche beaucoup plus souple, et June et Caroline l'avaient compris.

«Tu as tout fait rater!» ont dit les deux femmes à Greg après les présentations. Greg ne voulait rien entendre: «J'ai fait une excellente présentation.»

L'équipe a perdu la vente, mais le véritable problème était tout autre: l'incident avait suscité entre les trois membres de l'équipe un conflit qu'ils semblaient incapables de résoudre. C'est alors que le directeur commercial est venu me consulter.

J'ai écouté la version de chacun. June et Caroline disaient avoir vu dès le départ que l'approche de Greg ne fonctionnait pas. «Tu as pris un air arrogant et condescendant, lui ont-elles dit. Les femmes présentes dans la salle ont pu voir que la seule personne que tu croyais devoir convaincre était leur patron; elles ont décroché.» Greg était sur la défensive: «Vous ne pouvez pas me blâmer. Mon travail a été parfait.» À son avis, tout le monde conspirait contre lui. June et Caroline affirmaient qu'il refusait de les écouter. Ils étaient dans une impasse.

Le conflit entre ces trois personnes montre à quel point il est facile de tomber dans la case reproches. «Nous avons constaté dès le départ que Greg perdait le client, m'ont dit les deux femmes. Par la suite, nous avons vu défiler tous les points qui n'allaient pas, toutes les erreurs qu'il a commises.» Autrement dit, la case reproches de June et de Caroline a façonné leur façon de voir la présentation de Greg.

Greg aussi était à la case reproches. Selon lui, June et Caroline s'étaient liguées contre lui dans cette affaire. Il avait l'impression d'être l'accusé contre qui ses deux collègues recueillaient des preuves. «Ce n'est pas de ma faute. C'est de la leur.» Qu'a-t-il fait? Il a cessé de les écouter. Il s'est replié sur lui-même. Pendant ce temps, June et Caroline se disaient que Greg ne voulait pas les écouter. Leurs réactions respectives se durcissaient.

Il est difficile d'éviter la case reproches. Celle-ci fait partie de toute réaction normale à un conflit. Mais lorsqu'on est à la case reproches et qu'on se préoccupe surtout de faire valoir son point de vue, on ne peut agir et résoudre le problème. Il faut être capable d'en arriver à dire: «Je veux comprendre l'autre personne.»

Greg, June et Caroline ont dû attendre quelques semaines avant d'être prêts à passer de la case reproches à la case résultats. Comment y sont-ils parvenus? Ils ont commencé par revoir leurs objectifs à long terme. Comme je l'ai déjà mentionné, nos intentions à long terme sont la première chose à évaluer lorsqu'on est en situation de conflit. Mais dès que ce conflit a pris naissance, Greg, June et Caroline ont oublié à quel point ils formaient une bonne équipe.

Je leur ai demandé: «Que vous a coûté la case reproches?» La réponse n'a pas tardé à venir. Ils ont dit avoir perdu confiance les uns dans les autres. La chimie avait disparu. Comme ils le verraient plus tard, la case reproches avait aussi contribué à leur faire perdre ce client potentiel. «Qu'est-ce qui compte pour vous?» leur ai-je aussi demandé. Encore une fois, la réponse n'a pas tardé: «Former une équipe solide. C'est ainsi que nous allons chercher des clients.» Lorsqu'ils ont constaté qu'ils me donnaient tous la même réponse, la discussion est passée de «tu es *contre* moi» à «tu es *avec* moi».

C'est ainsi que Greg, June et Caroline sont passés de la case reproches à la case résultats. L'incident qui les avait éloignés l'un de l'autre a alors pris une toute nouvelle signification. Chacun a compris ce qu'il aurait pu faire pour reprendre la situation en main. Ainsi, Caroline a fait l'aveu suivant: «Je savais que les femmes présentes dans la salle auraient le dernier mot sur la décision d'achat. J'aurais pu intervenir et t'indiquer de leur accorder toute ton attention. Mais je n'ai fait qu'attendre que cette bombe à retardement te saute à la figure.» Lorsqu'il était à la case reproches, Greg aurait empêché ce genre d'intervention; mais à la case résultats, il pouvait l'accepter. Il se rendait compte que Caroline aurait eu raison d'agir ainsi.

Une fois le conflit résolu, Greg, June et Caroline ont compris comment ils pouvaient tourner leurs différences en forces. Tous trois ont saisi ce qu'ils avaient perdu en restant à la case reproches: un client et leur confiance en leurs collègues. Greg s'est rendu compte que June et Caroline auraient pu lui apporter une aide inestimable s'il l'avait voulu. June et Caroline ont compris comment elles pourraient agir si une situation semblable se représentait à l'avenir.

Les moments «Ah! je comprends!»

Je dis toujours aux participants à mes ateliers de ne pas chercher de réponses. Les réponses ne servent qu'à renforcer notre propre position. Il faut plutôt chercher à comprendre la situation; c'est ainsi qu'on apprend. C'est ainsi qu'on «comble un vide dans notre esprit».

Dans le cas des conflits décrits dans ce chapitre, j'étais présente pour guider les participants vers la résolution de leur problème. Mais vous, comment pouvez-vous faire pour passer de la case reproches à la case résultats? Dans le monde où nous vivons, dans «l'aquarium» où nous travaillons, il est facile de tomber dans la case reproches et de réagir à un conflit en pointant l'autre du doigt. Il faut une certaine autodiscipline pour passer à la case résultats. Les conflits se vivent de manière très personnelle. Beaucoup se passent dans la tête des gens. Souvent même, il n'y a aucune confrontation. Il faut donc être capable de passer soi-même de la case reproches à la case résultats. Mais il faut de la détermination pour y parvenir.

Voici quelques conseils qui vous aideront à déterminer si vous êtes à la case reproches ou à la case résultats. Pensez à un conflit récent que vous avez vécu avec une personne du sexe opposé. Décrivez ce que vous avez fait. À quel cadre de référence avez-vous fait appel? Répondez ensuite aux questions suivantes.

Avez-vous:

- ☐ décidé que l'autre personne avait tort?
- ☐ argumenté pour savoir qui avait tort et qui avait raison?
- ☐ dit: « Je ne suis pas responsable de cette situation »?
- ☐ été en colère ou choqué?
- ☐ raconté l'affaire à tout un chacun?
- ☐ ruminé l'affaire dans votre tête?
- ☐ été sur la défensive?
- ☐ eu l'impression d'être une victime, d'être accusé à tort, d'être mal compris?
- ☐ eu l'impression d'être dévalorisé?

Si vous avez répondu oui à l'une ou l'autre de ces questions, vous êtes à la case reproches.

Au contraire, avez-vous:

- ☐ pris du recul pour réfléchir?
- ☐ décidé que cette relation vous tenait à cœur?
- ☐ pris la responsabilité de régler ce conflit?
- ☐ pris les moyens proactifs nécessaires pour trouver une solution?
- ☐ essayé de chercher une solution qui satisferait tout le monde?

Si vous avez répondu oui à l'une ou l'autre de ces questions, félicitations! Vous êtes à la case résultats. Voici trois étapes simples pouvant vous aider à trouver une solution dont tout le monde sera content.

1. Pensez ensemble à une solution qui conviendra à tout le monde.

Faites en sorte de vous comprendre mutuellement; assurez-vous que vous vous sentez entendus et compris. Commencez par dire: « Tu n'avais probablement pas de mauvaises intentions en affirmant telle chose, mais... » ou « J'aimerais clarifier telle chose ». C'est là sans doute ce que les hommes et les femmes trouvent le plus difficile à faire : poursuivre la conversation jusqu'au bout. Partir sur de bonnes bases. Se livrer ensemble à une séance de remue-méninges pour trouver diverses solutions. Se concentrer sur les étapes 2 et 3, décrites ci-dessous, et respecter sa parole.

2. Structurez et étoffez vos propos.

Définissez votre objectif : « Je suis aux prises avec un conflit et je veux trouver une solution où tout le monde sera gagnant » ou « J'ai un problème à résoudre avec toi ». Insistez sur le fait que l'objectif immédiat est de vous comprendre mutuellement.

3. Analysez la situation au fur et à mesure qu'elle évolue.

Aidez-vous l'un l'autre à bien vous comprendre. N'essayez pas de vous justifier ou d'expliquer votre désaccord, sinon vous risquez de vous retrouver à nouveau à la case reproches. Cherchez à comprendre l'autre avant de vous faire comprendre. Reformulez les propos de l'autre : « Je suis peut-être sous le coup d'une idée toute faite, mais... » ou « Mon interprétation est peut-être erronée, mais... ».

Si vous êtes une femme, n'oubliez pas que ce qui frustre le plus les hommes, c'est d'avoir l'impression qu'ils *sont* le problème. Si vous êtes un homme, n'oubliez pas que ce qui frustre le plus les femmes, c'est d'avoir l'impression qu'on ne les écoute pas et qu'on ne les comprend pas.

Dans le prochain chapitre, nous allons voir ce qui se passe lorsque les conflits dégénèrent et entraînent des accusations de harcèlement. Croyez-le ou non : la plupart des affaires de harcèlement débutent par un malentendu fondé sur la différence entre les sexes. Mais lorsqu'il y a ou semble y avoir du harcèlement, nos sentiments de colère ou de stupéfaction sont tellement intenses qu'il est presque impossible de passer de la case reproches à la case résultats. Le harcèlement rend tout le monde paranoïaque : les hommes craignent les reproches, et les femmes, d'être persécutées. Mais, comme nous allons le voir, il est possible d'éviter ce gâchis en apprenant à comprendre les différences entre les sexes.

11

Prévenir le harcèlement

Le problème, c'est notre façon d'envisager le problème.

Albert Einstein, physicien allemand (traduction libre)

Il n'y a aucun doute: de nos jours, le harcèlement est le type de conflit le plus troublant et le plus destructeur qui soit au travail. Prenez un conflit ordinaire et multipliez-en les effets par 100 pour avoir une idée de ce que produit le harcèlement. Les situations de harcèlement, qu'on se sente harcelé, qu'on soit harcelé ou qu'on soit accusé de harcèlement, déclenchent en nous l'instinct de survie.

En quoi consiste le harcèlement? Lorsque les gens entendent ce terme, ils l'associent en général au harcèlement sexuel «flagrant»: des situations où un employé fait à une autre personne des avances claires et directes. Ce genre d'incident arrive, bien sûr, mais il en existe une autre forme, plus «subtile»: des insinuations et des remarques ambiguës ou un comportement inacceptable atteignant parfois un tel degré qu'il mène à des allégations de harcèlement. Voilà ce dont traite ce chapitre.

Des centaines d'entreprises ont fait appel à mes services pour que je les aide à mettre au clair des accusations de harcèlement. Qu'ai-je découvert? Qu'il existe un conflit au centre duquel se trouvent deux personnes. Malheureusement, au moment où j'entre en scène, toute l'entreprise est devenue une zone sinistrée sur le plan psychologique.

Les affaires de harcèlement nuisent à tous les employés d'un bureau et minent leurs relations de travail. Elles créent deux «camps» et obligent tout le monde à prendre position. Elles détruisent la confiance. Il faut parfois des années avant que les entreprises ne s'en remettent. Les chercheurs du groupe Women in Management Association rapportent que 70% des travailleuses au Royaume-Uni mentionnent avoir fait l'objet de harcèlement sexuel au travail. Idem au Japon. En Finlande, en Suède et dans l'ex-URSS, près de 50% des femmes disent la même chose.

Les conséquences sont énormes. Bien des hommes m'avouent ne pas vouloir travailler avec des femmes ayant déjà déposé une plainte de harcèlement, de crainte de finir par se faire accuser eux aussi. Les femmes ne sont jamais gagnantes dans ce genre de situation. Le manque de confiance entre les employés a des effets négatifs sur l'environnement de travail. Selon les plus récentes statistiques, les Américaines qui portent des accusations de harcèlement obtiennent en moyenne 250 000$ en dommages et intérêts. D'après mon expérience, même les femmes qui ont reçu de grosses sommes ont l'impression que ça ne valait pas le coup. Leur réputation est entachée, elles se sentent incomprises et sont souvent obligées de quitter leur emploi; certaines doivent même abandonner leur carrière.

Par ailleurs, les hommes se disent scandalisés de voir à quelle vitesse les femmes se tournent vers les tribunaux pour trouver une issue au problème du harcèlement. En général, les hommes accusés soutiennent qu'ils n'avaient pas l'intention de harceler une collègue. Ils affirment que leurs gestes ont été mal interprétés et se retrouvent accusés de harcèlement avant d'avoir eu le temps de se rendre compte de la situation. Le contre-coup est le suivant: les hommes décident de se tenir le plus loin possible de leurs collègues féminins. Il s'agit donc d'une solution où tout le monde est perdant.

En réalité, la plupart des plaintes de harcèlement sexuel portent sur les propos tenus et sur le ton de voix employé. Le cas de Linda et de Roger, deux collègues travaillant pour un journal londonien, est typique. Linda a porté des accusations de harcèlement sexuel à l´endroit de Roger, parce qu'un matin, il lui a dit: «Je t'adore en rose!» Ce commentaire a offensé Linda. «C'était une remarque clairement suggestive. Et ce n'était pas la première fois qu'il me disait une chose pareille», a-t-elle soutenu. Par la suite, Roger a indiqué qu'il croyait que lui et Linda étaient des amis et que «tout était permis». Selon lui, ses blagues avaient pour but de montrer à Linda à quel point il appréciait travailler avec elle. Mais Linda affirmait que c'était surtout le ton employé, et non les paroles comme telles, qui n'était pas convenable. Roger était dérouté : « Que puis-je faire ? Je n'avais pas les mauvaises intentions qu'elle me prête ! »

Tout aussi extraordinaire que cela puisse paraître, ce genre de malentendu survient tous les jours. L'histoire de Linda et de Roger ne les a pas amenés en cour parce qu'ils ont eu le bon sens de se mettre l'un à la place de l'autre et de trouver une solution où tous deux étaient gagnants. Mais, malheureusement, nombre de malentendus de ce genre aboutissent devant les tribunaux. Dans le temps de le dire, ils détruisent des relations professionnelles et transforment des bureaux en champs de bataille.

En plus du ton et des propos employés, le langage corporel joue un rôle important dans les plaintes de harcèlement « subtil ». Ainsi, Albert, qui est gestionnaire dans une banque, a déjà cru que Shirley, une de ses collègues, lui faisait des avances à cause de la façon dont elle rejetait ses cheveux en arrière pendant une présentation. Shirley avait de longs cheveux qu'elle avait l'habitude de rejeter en arrière lorsqu'ils lui tombaient dans la figure. Heureusement, Albert a eu le courage de lui parler de ce qu'il avait perçu. La jeune femme était complètement estomaquée. « Mon Dieu, ce n'était pas du tout une façon de flirter avec toi ! » lui a-t-elle dit.

Heureusement, au lieu de réagir en faisant des avances sexuelles à Shirley, Albert a réglé ce malentendu fondé sur une habitude de la jeune femme. L'intuition d'Albert ? « Je préfère ne pas me faire d'idées sur ce qu'une femme veut dire, et si j'en ai, je préfère vérifier si j'agis en fonction d'un filtre perceptif. » Shirley a eu une bonne intuition aussi. « D'abord, j'ai cru qu'Albert était une espèce de dinosaure, puis j'ai réfléchi à la situation et je me suis rendu compte que la même situation s´était déjà produite avec d'autres hommes. Je dois leur envoyer une espèce de signal. Je vais faire plus attention à l'avenir. »

Bien sûr, loin de moi l'idée de suggérer que le véritable harcèlement n'existe pas. Les hommes et les femmes ne nient pas que certaines formes de harcèlement flagrant existent au travail, comme des attouchements, des commentaires explicites et le refus d'accepter un « non » comme réponse. De nos jours toutefois, le problème est que nombre de malentendus innocents sont associés à ces véritables abus. Cette situation a créé une atmosphère de panique dans bien des bureaux. Le problème est grave aux États-Unis.

Pourtant, les choses peuvent se passer différemment.

Le harcèlement subtil mine le climat de travail

Au cours des 20 dernières années, et surtout dans la dernière décennie, j'ai noté une augmentation substantielle des plaintes de harcèlement « subtil ». Je peux attester que ces affaires ont des effets aussi négatifs sur l'entreprise et les personnes qui y travaillent que les affaires de harcèlement flagrant. Quelle est la différence entre ces deux formes de harcèlement ? Presque tous les cas de harcèlement subtil sont dus à des malentendus provoqués par les différences entre les sexes. Mais, comme toutes les autres formes de malentendus dont je parle dans ce livre, il est possible de les résoudre.

Dans une affaire typique de harcèlement, une femme porte des accusations contre un homme (mais les hommes peuvent aussi être victimes de ce type de harcèlement). Il y a généralement eu accumulation d'incidents. La victime s'est sentie mal à l'aise à plusieurs reprises. Elle parle du problème à des proches, qu'il s'agisse de sa famille, de son conjoint ou d'amis. On lui conseille en général d'agir. Mais la seule possibilité qui s´offre à elle est de rapporter l'incident directement au service des ressources humaines. Celui-ci ouvre alors un dossier et fait parfois une « évaluation du milieu de travail ». Le tout se résume souvent à un recueil des commentaires formulés par chacune des deux personnes en cause. Mais la situation se détériore encore davantage.

Voici un exemple qui illustre comment se déroule un cas de harcèlement subtil. L'affaire se passe dans une entreprise de haute technologie. Christa, qui est chef de service, a accusé Peter, un cadre supérieur charismatique, de harcèlement. Christa soutenait que Peter lui avait jeté à plusieurs reprises des regards suggestifs. Comme il s'agit d'un bureau à aires ouvertes, plusieurs des employées ont vu Peter consulter des sites Web à caractère sexuel durant les heures de travail. Christa a affirmé qu'un jour, au moment où elle passait devant le bureau de Peter, il a levé la tête vers elle en faisant le mouvement de « se lécher les lèvres ». Peter ne lui a pas fait d'avances sexuelles explicites, mais ses gestes l'ont humiliée et paralysée. Christa en avait assez. Elle a porté plainte auprès du service des ressources humaines, qui a ouvert un dossier.

Une fois sur papier, les choses ont souvent tendance à empirer. Dans le temps de le dire, Christa a appris que l'entreprise se préparait à congédier Peter. Celui-ci était en état de choc, puis il est passé à l'étape de la colère. Il s'est empressé de faire appel aux services d'un avocat. C'est alors que cette affaire a commencé à ébranler toute l'entreprise.

Beaucoup d'hommes sympathisaient avec Peter. Ils trouvaient le châtiment trop sévère pour le crime commis. «Il est un bon gestionnaire et un gars sympathique, affirmaient-ils. Son geste n'a rien à voir avec la qualité de son travail.» Beaucoup d'hommes étaient d'accord pour dire qu'il n'est pas acceptable de regarder ce genre de sites au travail, mais ils ajoutaient qu'il «ne s'était peut-être pas rendu compte que ça pouvait être offensant pour d'autres personnes».

Beaucoup de femmes sympathisaient avec Christa. Certaines avaient vécu des expériences similaires avec Peter, et toutes étaient offusquées par les sites pornographiques qu´il visitait et le geste qu´il avait fait. «C'est humiliant», disaient-elles. Tout le monde se concentrait sur sa propre réaction et cherchait à la justifier. Personne ne cherchait à régler le problème.

On a fait appel à mes services plusieurs mois après que la plainte a été déposée. L'entreprise comptait 32 employés, dont Christa et Peter, et elle était divisée en 2 camps réunis de chaque côté de la salle. Le moins qu'on puisse dire, c'est que l'atmosphère était tendue. Comme dans bien d'autres entreprises, cette affaire de harcèlement avait tourné les employés les uns contre les autres. Tout le monde surveillait tout le monde. Les gens se sentaient pris au piège, et personne n'écoutait personne.

Hommes et femmes, tous étaient tellement empêtrés dans la situation qu'ils ne pensaient pas du tout à chercher une solution. L'affaire s'était transformée en procès. Tout le monde prenait parti. Les défenseurs de Peter affirmaient: «Il regardait certains sites sur son ordinateur portatif dans ses temps libres.» Quant aux défenseurs de Christa, ils trouvaient le comportement de Peter offensant et inacceptable.

L'histoire de Peter et Christa est un exemple classique de ce qui se passe lorsque les entreprises réagissent au harcèlement, comme elles le font toujours, en le faisant passer par les voies judiciaires officielles. Je ne veux pas dire que cette politique soit mauvaise. La loi oblige les entreprises à mettre en place des politiques et des procédures en matière de harcèlement sexuel, et ces politiques représentent un certain progrès. On a fait beaucoup de chemin depuis 20 ans, alors que le harcèlement sexuel n'était même pas reconnu comme tel. Et évidemment, il importe de signaler aux autorités les affaires de harcèlement sexuel flagrant.

Cependant, les entreprises confondent « politiques en matière de harcèlement » et « solutions au harcèlement ». En pensant résoudre les problèmes de harcèlement à partir des politiques mises en place, les entreprises se retrouvent avec une énorme bombe à retardement. Dans les cas de harcèlement flagrant, il est évidemment nécessaire de déposer une plainte officielle. Mais dans la plupart des cas de harcèlement, qui sont liés à un comportement inapproprié, la solution « officielle » fait plus de tort que de bien. Dans le cas de Christa et de Peter, la leçon n'a été profitable pour personne, et le climat de travail s´est détérioré.

Les politiques en matière de harcèlement sont inefficaces dans des affaires semblables, parce qu'elles ne vont pas à la source du problème. Les employés restent en état de choc; ils sont bloqués aux étapes de la colère et du rejet, et piétinent à la case reproches. Ces politiques s'occupent seulement des symptômes d´une maladie qui continue de faire des ravages. Ce qui arrive après le dépôt d'une plainte dans des affaires comme celle de Peter et Christa prouve mes dires. Le personnel est divisé. L'esprit d'équipe disparaît. Les employés se mettent à faire cavaliers seuls.

Cette atmosphère négative, qui peut durer des années, finit par devenir étouffante. J'ai en mémoire un cas où des femmes quittaient encore l'entreprise deux ans après un incident de harcèlement en raison du froid que celui-ci avait jeté entre les employés. Tout le monde était sur la défensive. Les hommes avertissaient les nouvelles avocates du cabinet qu'ils ne travaillaient désormais plus avec des femmes. Mais le plus étrange dans tout cela, c'est que nombre de femmes affirmaient comprendre le sentiment des hommes.

Les politiques officielles en matière de harcèlement ne servent pas à empêcher les problèmes de harcèlement, parce qu'elles ne vont pas à la source du problème. La source du problème, ce sont les différences entre les sexes.

Comment les hommes et les femmes voient le harcèlement

En matière de harcèlement, les hommes et les femmes ont au moins un point en commun : ils veulent des « règles à suivre ». Comme je le dis souvent, ne serait-ce pas magnifique si un mode d'emploi était attaché à chaque être humain ? Mais ce n'est pas le cas. Il n'existe pas de règles non plus pour traiter les affaires de harcèlement sexuel. Il n'y a que des politiques, dont l'utilité est assez limitée quand vient le temps de régler les nombreuses affaires de harcèlement subtil qui ruinent l'environnement de travail.

Chaque cas de harcèlement est unique. Il met en scène, dans un contexte particulier, des individus aux personnalités et aux expériences différentes, ce qui vient compliquer les choses. Si je voulais définir certaines règles à suivre, il me faudrait constamment les modifier pour les adapter à chaque cas. Je vais donc plutôt vous apprendre à vaincre vous-même les formes de harcèlement subtil. À partir d'un processus similaire à celui que nous avons déjà appliqué dans ce livre, je vais vous montrer les effets du harcèlement subtil sur les hommes et les femmes ; autrement dit, les propos et les doléances des personnes des deux sexes sur ce sujet. Vous aurez ainsi les données nécessaires pour comprendre comment résoudre les conflits qu'engendre le harcèlement sans avoir besoin de règles à suivre. Encore une fois, nous allons écouter ce que les hommes et les femmes ont à dire sur ce sujet lorsqu'ils se trouvent derrière des portes closes.

Je commence toujours mes ateliers portant sur le harcèlement de la même façon que mes autres ateliers. Je demande aux hommes et aux femmes de me faire part de leurs préoccupations sur ce sujet. Cette question est assez ouverte pour me permettre de découvrir ce que tout le monde pense vraiment. Je constate que les hommes et les femmes voient ce problème d'un œil complètement différent. C'est le premier élément de l'importante leçon que nous devons tirer lorsque nous abordons ce sujet : les hommes et les femmes n'interprètent pas le harcèlement de la même façon.

Ce que pensent les hommes

- «Je ne connais pas les règles à suivre.»
- «Je ne sais pas comment agir.»
- «Quel code de conduite dois-je suivre?»
- «Le harcèlement a une signification différente d'une femme à l'autre. Cela peut même varier d'une journée à l'autre pour la même femme!»
- «Ce qu'une femme prend pour du harcèlement n'en est pas à mes yeux.»
- «Les femmes font une montagne d'un rien.»»

Le harcèlement est une question qui déconcerte les hommes. Ils aimeraient bien connaître les «règles à suivre». Ils ne comprennent pas qu'un comportement qui leur semble innocent soit considéré comme du harcèlement par les femmes. Un homme en témoigne: «Après avoir dit à une collègue que son nouveau chemisier était très joli, je me suis retrouvé avec des accusations de harcèlement! Quel harcèlement?»

Que font alors les hommes? Ils deviennent très prudents et méfiants, et même paranoïaques. Ils veulent savoir comment se comporter et comment éviter de se faire accuser de harcèlement. Les femmes se préoccupent du harcèlement seulement lorsqu'une de leurs connaissances est aux prises avec ce problème, mais les hommes s'en inquiètent continuellement. Les femmes peuvent être tentées de ne pas tenir compte de la crainte des hommes, mais elles ne doivent pas succomber à cette tentation. Les hommes ont très peur d'être accusés à tort de harcèlement.

Ce que pensent les femmes

Les préoccupations des femmes tournent autour de ce que j'appelle des «insinuations de nature sexuelle». Beaucoup de femmes affirment qu'elles n'aiment pas recevoir des compliments dont le ton est de nature sexuelle, comme se faire dire qu'elles sont séduisantes ou que tel vêtement leur sied bien. Par exemple, une femme m'a fait part d'un incident qui s'était passé un lundi, après qu´elle a dit à des collègues que son week-end avait été épuisant. Les hommes du groupe lui ont alors demandé d'un air suggestif: «Mais qu'as-tu donc fait tout le week-end?» La femme était estomaquée et humiliée de constater qu´ils donnaient une interprétation sexuelle à une remarque anodine.

Les préoccupations des femmes sont souvent axées sur le fait que le comportement des hommes les amène à se sentir exclues ou singularisées en raison de leur sexe. Les femmes ont horreur des insinuations de nature sexuelle qui leur sont faites dans des situations inopportunes. Ainsi, bien des femmes signalent que, dans les restaurants et durant des voyages d'affaires, les hommes avec qui elles travaillent se mettent à flirter ouvertement avec des étrangères et des serveuses.

Les hommes ne comprennent pas que les femmes se sentent visées personnellement par ces insinuations. Leur comportement a souvent pour but de simplement montrer aux autres gars qu'ils font partie de la gang. Mais ce type de comportement déconcerte les femmes et les humilie parfois. Elles se demandent: «Me respecte-t-il? Si c'est le cas, pourquoi agit-il ainsi?» Les femmes se posent alors des questions sur le «caractère» de leur interlocuteur et se disent: «Je ne le connais peut-être pas aussi bien que je le pensais.» Même dans les hautes sphères des entreprises, les hommes font des plaisanteries vulgaires, et les femmes s'en plaignent. Encore une fois, la plupart des hommes ne comprennent pas quel est le problème.

Bien des femmes signalent qu'elles entendent souvent des hommes faire des remarques sur les différentes parties de l'anatomie féminine. Les femmes ont alors l'impression d'être considérées comme des objets, peu importe à qui ces hommes destinent leurs remarques. En groupes, les hommes abordent naturellement ce genre de sujet, mais d'après les femmes c'est tout à fait déplacé. Voici les autres points faisant partie de la liste des doléances des femmes:

- Les hommes se moquent des femmes séduisantes.
- Les hommes se moquent des femmes peu séduisantes.
- Les hommes cataloguent les femmes ou les dénigrent.
- Les hommes font des blagues de nature sexuelle.

Les hommes sont étonnés de découvrir ce que ressentent les femmes à ce sujet. «S'agit-il vraiment de harcèlement?» demandent-ils. Bien que sincères, beaucoup d'hommes ne comprennent pas le problème. Après avoir vu des collègues agir comme des idiots ou prononcer des paroles stupides, ils se disent: «Ça n'est arrivé qu'une seule fois; ça ne voulait rien dire.» Les hommes sont souvent complètement perplexes quand ils me parlent de plaintes déposées contre eux pour avoir fait une remarque à une femme au cours d'un repas ou pour avoir fait des blagues de nature sexuelle entre gars. C'est tout ce qu'ils voient: des blagues ou des remarques grivoises. Mais, tout comme les femmes doivent tenir compte de la crainte des hommes d'être accusés à tort de harcèlement, les hommes doivent accepter les inquiétudes légitimes des femmes et en tirer des leçons.

Une question d'interprétation

Le harcèlement ne produit pas les mêmes effets sur les hommes et les femmes. Les uns et les autres ont une vision différente du monde et ils comprennent les choses différemment. Les femmes ont le sentiment que les hommes cherchent à les surprotéger et à les exclure, et elles interprètent mal la méfiance dont ils font preuve. Quant aux hommes, lorsqu'ils voient des femmes tenter d´établir un consensus ou prendre les choses trop à cœur, ils supposent qu'elles manquent de confiance en elles. Dans toutes ces situations, les réactions des uns provoquent des réactions chez les autres et entraînent tout le monde dans la spirale négative des malentendus.

Pour mettre fin à cette spirale négative, il faut comprendre les filtres perceptifs de chacun. C'est à cause de ces filtres que nous interprétons mal certaines remarques et certains comportements. Nous analysons le comportement des personnes du sexe opposé à partir de notre propre cadre de référence. Nous tirons ensuite des conclusions erronées sur le sens de tel ou tel comportement, et nos réactions provoquent d'autres malentendus.

Ce cercle vicieux est à la base de la plupart des affaires de harcèlement sexuel qu'on me soumet – je dirais d'environ 90% d'entre elles. Bon nombre des filtres que nous avons étudiés au chapitre 7 sont à l'origine des affaires de harcèlement. Comme on l'a vu dans ce chapitre, on ne peut rien résoudre lorsqu'on cherche à savoir qui a tort et qui a raison. Pour régler des affaires de harcèlement subtil, la seule solution consiste à comprendre comment la personne du sexe opposé voit les choses.

L'histoire suivante se passe dans un commerce d'exportation. Elle montre comment les filtres perceptifs de deux personnes de bonne foi peuvent les entraîner dans une affaire de harcèlement. Carla, une employée de bureau, a déposé une plainte de harcèlement contre son patron, Édouard. Elle soutient qu'il l'a tenue par la taille et lui a tapoté le bras. Elle a téléphoné au service des ressources humaines pour savoir comment s'y prendre dans ce genre de cas. Le service des ressources humaines a dès lors ouvert un dossier et officiellement porté des accusations de harcèlement sexuel contre Édouard.

Lorsqu'il a appris qu'il était l'objet d'une plainte, Édouard a reçu un choc. «Je suis ainsi: le contact physique est dans ma nature», a-t-il dit. Mais il était trop tard. Comme me l'a expliqué Carla, elle trouvait le comportement d'Édouard inacceptable et importun. Édouard comprenait que ce genre de comportement pouvait déranger certaines personnes. Mais il a précisé que Carla et lui avaient une bonne relation de travail et qu'il ne croyait pas qu'elle pouvait mal interpréter son geste. Pour Édouard, le contact physique était une façon de communiquer avec ses clients et collaborateurs et de renforcer les liens qui existaient entre eux. Il ne lui était jamais venu à l'esprit que Carla pourrait interpréter autrement sa façon d'agir.

Carla a été soulagée de comprendre les véritables intentions d'Édouard. Elle trouvait son comportement déplacé, mais elle a cessé de se sentir offusquée lorsqu'elle a compris que son patron n'avait pas de mauvaises intentions. Carla et Édouard ont compris que le problème était attribuable aux filtres de chacun et ont ainsi pu trouver une solution. Tous deux voulaient rétablir leur bonne relation, et Édouard a compris que son comportement avait paralysé Carla; il y a donc mis un terme.

Pour comprendre tel ou tel comportement, il faut d'abord s'attaquer aux idées toutes faites, aux interprétations et aux malentendus qui entourent souvent les questions de harcèlement. Les femmes interprètent parfois un comportement comme du harcèlement parce qu'elles associent un incident précis à la personnalité de l'homme. Selon les hommes, les femmes généralisent en agissant ainsi, mais celles-ci ne le font pas de mauvaise foi. C'est tout simplement leur façon de voir les choses. C'est pourquoi une seule remarque de nature sexuelle, formulée en présence de personnes des deux sexes, peut avoir autant d'effets négatifs sur une femme. Celle-ci en vient à se demander si elle connaît véritablement l'homme qu'elle croyait connaître.

Les hommes ne comprennent pas qu'une femme puisse remettre en question son amitié avec un homme seulement parce que celui-ci a lancé une remarque considérée comme sexiste. Comme les hommes ne comprennent pas la façon de généraliser des femmes, ils passent le comportement des femmes par leurs propres filtres. Ils estiment que la réaction des femmes est excessive. Ils ont aussi l'impression que les femmes cherchent à les attaquer, ce qui ajoute à leurs craintes de se faire accuser injustement. Ils écoutent les propos des femmes en les faisant passer par leurs propres filtres et concluent qu'elles sont aigries à leur égard. Évidemment, lorsque les hommes sont aux prises avec ce genre de filtre, ils n'écoutent pas vraiment ce que disent les femmes.

Il n'y a pas que les hommes qui comprennent mal. Les femmes aussi sont aux prises avec des filtres perceptifs qui les empêchent de comprendre ce que disent les hommes. Si une femme ne comprend pas que les hommes n'associent *pas* un incident précis à la personnalité d'un individu, elle en conclut que l'homme tente de la rejeter ou de la tenir à l'écart. Lorsqu'un homme dit, par exemple: «il fait juste comme les autres gars», la femme est aux prises avec le filtre «il nie la situation». Cela la met encore plus en colère. Mais les hommes ne font qu'être eux-mêmes.

L'histoire de Carla et Édouard montre à quel point il est important que les hommes et les femmes se mettent à la place l'un de l'autre. Pour régler les questions de harcèlement, il faut être capable de découvrir ce que nous ne savons pas («combler un vide dans notre esprit»). Nous ne pouvons y parvenir qu'en comprenant les filtres qui influent sur nos perceptions.

N'avoir rien à pardonner

Comme je le répète souvent, «pour comprendre, il faut n'avoir rien à pardonner». Autrement dit, lorsqu'on comprend une situation, on n'a pas besoin de se lancer sur la voie des plaintes en matière de harcèlement. Lorsque vous vous rendez compte qu'il peut y avoir un malentendu, suivez les trois règles de base suivantes:

1. *Prenez la responsabilité du malentendu dès que possible.*
2. *N'en faites pas un jeu politique.* Vous ne réussirez qu'à diviser vos collègues en deux camps en discutant avec eux de cet incident. Cela ne contribuera pas à régler le problème.

3. *Ne cherchez pas à savoir qui a tort et qui a raison.* Cela met automatiquement les gens sur la défensive. Les employés prennent alors parti et tout le monde perd de vue les solutions possibles.

4 conseils pour mettre fin au harcèlement

Bien des entreprises ont tenté de mettre fin au harcèlement en adoptant comme seule politique la tolérance zéro. Cette politique ne fonctionne jamais, pour la raison suivante : elle garde les gens à la case reproches. Pour mettre fin au harcèlement, il faut agir aussi vite que possible et désamorcer les malentendus avant qu'ils ne deviennent insurmontables.

Les hommes et les femmes qui participent à mes ateliers espèrent que je vais leur présenter un ensemble de règles qui leur permettront de régler cette question. Je ne peux vous donner les règles à suivre, mais je peux vous conseiller certaines choses qui vous aideront à comprendre la situation avant qu'il ne soit trop tard. Si vous gardez ces conseils en tête, vous pourrez régler les incidents de harcèlement avant qu'ils ne deviennent des «cas» que devra résoudre le service des ressources humaines et qui ruineront l´atmosphère au bureau. Mais surtout, vous réussirez à transformer une situation où tout le monde est perdant en une situation où tout le monde est gagnant.

1. Franchissez l'étape de l'acceptation.

Vous vous rappelez les étapes SCRA du chapitre précédent ? Ce n'est jamais une bonne idée de tenter de régler un incident lorsqu'on est à l'étape de la surprise (ou en état de choc), de la colère ou du rejet. Cela ne signifie pas que vous devez être d'accord avec ce qui s'est produit avant d'en parler à votre collègue. Il faut simplement que vous ayez atteint l'étape de l'acceptation. Accepter ne veut pas dire renoncer ; cela veut dire que vous devez être capable de laisser de côté votre envie d'avoir raison et de remettre les choses en contexte. Vous ne pouvez vous mettre à la place de l'autre et comprendre l'incident avant d'avoir accepté ce qui s'est passé.

Il est préférable de parvenir à cette étape le plus vite possible, et ce, avant de parler de l'incident à qui que ce soit. Lorsque vous essayez d'aller chercher l'appui d'autres personnes avant d'agir, leur sympathie les oblige à vous donner raison. L'autre personne concernée par l'incident s'en rendra immédiatement compte et se mettra alors sur la défensive.

2. Décidez d'agir.

Si tous les employés d'une entreprise s'engagent à bâtir un milieu de travail exempt de harcèlement, ils seront prêts à agir dès qu'ils verront un problème survenir. La première personne à constater le problème est en général celle que l'incident a le plus dérangée. Dans les cas de harcèlement, il s'agit habituellement, mais pas toujours, d'une femme. Vous devez prendre la responsabilité de résoudre le problème, même si vous êtes la victime. Et n'oubliez pas de rester loin de la case reproches.

3. Parlez directement à la personne concernée.

Si une autre personne a été témoin de l'incident, elle peut aussi participer à la discussion, mais en général il est préférable de se parler entre quatre yeux. C'est la meilleure façon d'éviter de créer une atmosphère de «procès». Les femmes ont beaucoup de difficulté à suivre ce conseil, car elles cherchent souvent à obtenir l'appui des autres lorsqu'elles sont aux prises avec un collègue considéré comme harcelant.

4. Vérifiez la situation et structurez vos propos.

Une fois les trois étapes précédentes franchies, il est temps de discuter. Servez-vous de la technique «vérifier et structurer» dont j'ai parlé dans les chapitres précédents. Vous pourriez dire: «Il s'est passé telle chose. Tu n'avais probablement aucune mauvaise intention en agissant ainsi, mais voici ce que j'en ai pensé. J'aimerais clarifier les choses avec toi.»

Les hommes sont en général reconnaissants envers les femmes qui ont recours à ce genre de technique. Comme nous l'avons vu tout au long de ce livre, ils se sentent paralysés lorsqu'une femme raconte à d'autres femmes un incident ou un problème qui s'est passé entre eux. Ils trouvent réconfortant qu'une femme vienne leur parler de ce qui est arrivé. Pourquoi?

- Parce qu'elle a présenté la situation sans leur faire de reproches;
- Parce qu'elle n'a pas parlé à d'autres avant de leur donner la chance de s'expliquer;

- Parce qu'elle ne les a pas confrontés devant les autres, ce qu'ils auraient trouvé humiliant.

Je ne veux pas terminer ce livre en vous laissant l'impression que le harcèlement est l'aboutissement des différences entre les hommes et les femmes. Mais, d'une certaine façon, nous avons bouclé la boucle. Nous avons vu que les hommes et les femmes pensent et communiquent différemment, qu'ils comprennent les choses différemment, qu'ils ont une vision différente du monde et qu'ils parlent un langage différent. Les affaires de harcèlement subtil surviennent lorsque les hommes et les femmes interprètent mal ces différences et en tirent les mauvaises conclusions.

Le harcèlement est le pire des malentendus entre les hommes et les femmes. Mais tout ce que vous avez appris dans ce livre peut vous aider à empêcher que ces malentendus entraînent des accusations de harcèlement. Et cela vaut pour les hommes aussi bien que pour les femmes. Maintenant que vous savez que les hommes et les femmes sont aux prises avec des points aveugles et des filtres perceptifs différents, vous pouvez avoir recours à certaines des techniques que j'ai décrites dans ce livre pour éviter les interprétations fautives et les malentendus. Vous pouvez «vérifier» si vous comprenez bien ce que veut dire la personne du sexe opposé et vous pouvez «structurer» vos propos pour vous assurer que vos intentions sont *véritablement* comprises.

J'ai voulu faire de ce livre une discussion sur les différences entre les sexes. Je vous encourage maintenant à poursuivre la discussion. Prenez n'importe quel chapitre de ce livre et entamez la conversation avec vos collègues. Que vous discutiez des difficultés qu'il y a à travailler avec des personnes du sexe opposé ou de la façon d'interpréter leurs propos et leurs gestes, vos discussions pourront vous servir à examiner les différences entre les sexes sans blâmer qui que ce soit. Chaque sujet abordé peut vous aider et aider vos collègues à adopter une attitude tolérante, et non de rejet, envers ces différences, et à constater comment tout le monde peut tirer profit des différences entre les sexes.

À la fin d'un livre sur les différences entre les hommes et les femmes, il peut sembler étrange de dire que ceux-ci ont beaucoup plus de choses en commun qu'ils le croient. Nous voulons tous travailler dans un milieu qui nous apporte fierté et joie. Pour réaliser ce rêve, il s'agit simplement de comprendre les différences qui existent entre les hommes et les femmes.

Postface

Le système en place est l'une des choses les plus importantes que doivent considérer les entreprises de nos jours.

Peter Senge, *The Fifth Discipline* (traduction libre)

Au début de ce livre, je vous ai parlé d'un cabinet d'avocats où le milieu de travail était tellement destructeur que les employées se faisaient mourir à y travailler. En réalité, ce livre a été une longue discussion sur ce qui se passait dans ce cabinet. La discussion a porté sur la problématique hommes-femmes, sur les différences entre les hommes et les femmes et sur l'importance de comprendre ces différences pour en venir à créer un milieu de travail où tout le monde se sent valorisé et peut réussir.

Tout au long de cet ouvrage, nous avons examiné le milieu de travail en fonction de la problématique hommes-femmes, mais la discussion aurait aussi bien pu porter sur d'autres aspects, comme la diversité, l'inclusion, le respect ou tout autre enjeu qui préoccupe les entreprises par les temps qui courent. Mais quel que soit l'enjeu dont on discute ou dont les entreprises doivent s'occuper (un leadership plus englobant, la rétention du personnel de talent ou la mise en place d´une culture d'autonomie, par exemple), il faut toujours tenir compte des personnes des deux sexes. Peu importe les moyens que préconisent les entreprises pour prospérer, elles doivent garder en tête la question des rapports hommes-femmes. Nous avons vu pourquoi. Parce que les hommes et les femmes voient presque tout de manière différente. Même lorsqu'ils utilisent les mêmes mots, ils parlent des langages différents.

La question des différences entre les sexes n'est peut-être que le point de départ de la discussion. Durant des centaines d'années, le milieu de travail était adapté aux poissons rouges – les hommes. L'aquarium était rempli d'une eau qui convenait à cette espèce de poissons. Avec l'arrivée des poissons bleus, l'eau ne répond plus aussi bien aux besoins. Nous avons vu que, lorsque les poissons bleus sont frustrés, les poissons rouges le ressentent. Mais les femmes ne sont pas seulement une nouvelle espèce de poissons qui arrive dans l'aquarium. La mondialisation de l'économie fait en sorte que de nouvelles espèces de poissons s'ajoutent continuellement dans l'aquarium. Les poissons bleus se retrouveront dans d'autres aquariums. Il faut donc s'habituer à en évaluer l'eau. Pour que tous les poissons prospèrent, il faudra être prêt à la changer.

Les entreprises font souvent appel à mes services pour régler des problèmes précis. Il peut s'agir de problèmes de relations hommes-femmes, de diversité, d'harmonie au travail, de conflits, de harcèlement ou de maintien des effectifs. Quelle que soit la difficulté à résoudre, il importe surtout de maintenir la discussion entre les hommes et les femmes. Les entreprises qui y parviennent obtiennent les résultats suivants:

- Le roulement de la main-d'œuvre diminue.
- Elles gagnent la réputation d'être des endroits agréables où travailler.
- Leur capacité à attirer des travailleurs de talent augmente radicalement.
- Leur productivité augmente.
- Leurs employés se sentent plus heureux.

Et que retirent de cette discussion les employés qui travaillent dans ces entreprises? Certains affirment: «Ma contribution peut véritablement faire une différence.» Certains se rendent compte que partir ou «abandonner la partie tout en restant» ne sont pas les seules options. Presque tous affirment qu'ils trouvent très valorisant de pouvoir discuter de la problématique hommes-femmes et ont le sentiment de participer à un projet significatif: bâtir un nouvel environnement de travail permettant à tout le monde de réussir et de se sentir apprécié. On tire profit des forces de chacun.

Je vous invite à utiliser les outils et à mettre en pratique les leçons dont nous avons parlé dans ce livre. Vous obtiendrez alors les résultats suivants:

- Votre travail avec les personnes du sexe opposé sera plus efficace.
- Votre niveau de stress au travail diminuera.
- Vous vous sentirez enfin apprécié et compris.
- Vous trouverez votre travail plus amusant: vous aurez le goût d'aller travailler!

Ce livre part du principe que les hommes et les femmes sont différents. Heureusement d'ailleurs. En fin de compte, *tout le monde* est différent. Et c´est tant mieux! Nous ne pouvons plus nous permettre de nous blâmer les uns les autres à cause de nos différences. Nous savons maintenant que les reproches ne créent qu'un monde où tous sont perdants.

Je dis souvent: «Ne serait-ce pas merveilleux si les hommes pouvaient parler au nom des femmes et les femmes au nom des hommes?» Imaginez l'esprit de collaboration qui existerait au travail, comme ailleurs, si cela était possible. Peut-être faudrait-il en arriver là pour que les dirigeants d'entreprises se rendent compte qu'ils ne peuvent régler les problèmes entre les hommes et les femmes en cherchant à «trouver qui a raison». Ils doivent demander aux hommes et aux femmes de voir le monde avec les yeux des personnes du sexe opposé. C'est ce que j'appelle un véritable esprit d'inclusion.

Demain matin, pendant que vous vous rendrez au travail, essayez d'imaginer ce que serait cet esprit. Puis arrangez-vous pour que la discussion se poursuive.

Lectures suggérées

AMEN, D.G. *Change Your Brain, Change Your Life,* IBS Books, 1999.

ANDREAE. S. *Anatomy of Desire: The Science and Psychology of Sex, Love and Marriage,* Little, Brown, 1998.

ARBURDENE, P. et J. NAISBITT. *Megatrends for Women, From Liberation to Leadership,* Arrow, 1994.

ARCHER, J. et B. LLOYD. *Sex and Gender,* Cambridge University Press, 1995.

BLOOM, H. *Global Brain: The Evolution of Mass Mind from the Big Bang to the 21st Century,* John Wiley & Sons, 2001.

BLUM, D. *Sex on the Brain,* Penguin, 1998.

BURR, C.I. *A Separate Creation,* Bantam Press, 1997.

CANARY, D.J. et T.M. EMMERS-SOMMER, *Sex and Gender Differences in Personal Relationships,* Guildford Press, 1998.

CARPER. J. *Your Miracle Brain,* HarperCollins, 2001.

COATES, J. *Women, Men and Language,* Longman, 1993.

COVEY, S. *The 7 Habits of Highly Effective People: Powerful Lessons in Personal Change,* Simon & Schuster, 2002.

FISHER, H. *The First Sex: The Natural Talents of Women and How They Are Changing the World,* Ballantine Books, 1999.

GARDNER, H. *Extraordinary Minds,* Phoenix, 1998.

GILLIGAN, C. *In a Different Voice,* Harvard University Press, 1982.

GRAY, J. *Men, Women and Relationships,* Beyond Words, 1993.

HELGESEN, S. *The Female Advantage: Women's Way of Leadership,* Doubleday, 1995.

HENDRIX, H. *Getting the Love You Want: A Guide for Couples,* Pocket Books, 1993.

HUMPHREY, N. *A History of the Mind,* Vintage, 1993.

JENSEN, E. *Brain-based Learning,* Turning Point Publications, 1995.

MACCOBY, E. *The Psychology of Sex Differences,* Stanford University Press, 1974.

MARKOVA, D. *Open Mind,* Conari Press, 1997.

MOIR, A. et D. JESSEL. *Brain Sex,* Mandarin, 1991.

ONG, W. J. *Fighting for Life Contest, Sexuality and Consciousness,* Cornell University Press, 1981.

REISNER, P. *Couplehood,* Bantam Press, 1994.

SAINT ONGE, H. *Leveraging Communities of Practice,* Butterworth-Heinemann, 2002.

STONE, D., PATTON, B. et S. HEEN. *Difficult Conversations, How to Discuss What Matters Most,* Penguin, 1999.

TANNEN, D. *That's Not What I Meant,* Virago Press, 1990.

TANNEN, D. *You Just Don't Understand: Women and Men in Conversation,* Virago Press, 1990.

TANNEN, D. *The Argumentative Culture: Stopping America's War of Words,* Virago Press, 1999.

Barbara Annis

Barbara Annis est chef de la direction de Barbara Annis & Associates Inc. Son cabinet, reconnu en Amérique du Nord et en Europe, se spécialise dans les questions liées à la problématique hommes-femmes, à la diversité et à l'inclusion des cultures. Il s'emploie à éliminer les barrières en faisant connaître aux entreprises les plus récentes études et idées sur les différences entre les sexes et la diversité culturelle, de façon qu'elles puissent en tirer profit. Au cours des 15 dernières années, Barbara Annis & Associates Inc. a organisé plus de 2000 ateliers et séances d'information sur ces sujets pour des entreprises nord-américaines et européennes des secteurs public et privé.

Le cabinet de Barbara Annis cherche à créer une culture qui reconnaît, valorise et optimise les différences et les capacités uniques des hommes et des femmes au travail, afin qu'ils puissent contribuer à la prospérité des entreprises.

Services offerts

Barbara Annis donne des conférences partout dans le monde à l´occasion de congrès ou au sein de diverses organisations. Son cabinet compte des collaborateurs chevronnés qui peuvent présenter des séances d'information ou des ateliers dans plusieurs langues. De plus, Barbara Annis & Associates Inc. tient des séminaires, des séances d'encadrement et des consultations dans les domaines suivants: encadrement des gestionnaires, stratégies et outils de diagnostic, formation des formateurs, problématique hommes-femmes, diversité, prévention du harcèlement, leadership transformationnel, rétention du personnel, équipes révolutionnaires, augmentation de la productivité, service à la clientèle, ventes et marketing pour les femmes.

Pour obtenir de plus amples renseignements, communiquer avec:

Barbara Annis & Associates Inc.

www.baainc.com (site en anglais seulement)

Produits

Pour obtenir des produits, tels que trousses de formation, trousses d'outils, articles, études, cassettes, vidéos ou DV, communiquer avec:

www.gsparrow@baainc.com (site en anglais seulement)

Ateliers

Pour vous inscrire à un atelier ou à toute autre activité, communiquer avec:

www.baainc.com (site en anglais seulement)

Transcontinental
IMPRESSION
IMPRIMERIE GAGNÉ
IMPRIMÉ AU CANADA